齋藤《さいとう》孝《たかし》の覚《おぼ》えておきたい

日《に》本《ほん》語《ご》のうんちく

齋藤 孝

まえがき

きみは、どのくらいの数《かず》の言葉《ことば》を知《し》っているかな？　数《かず》っていっても、数《かぞ》えたことはないだろうからむずかしいかな。

じゃあ、別《べつ》の質問《しつもん》にしよう。

人《ひと》に感謝《かんしゃ》するときの言葉《ことば》を、いくつ知《し》っているかな？

まずは「ありがとう」だね。ほかにも、「謝意《しゃい》を表《ひょう》します」とか「恩《おん》に着《き》ます」「おかげさまです」ともいうよね。全部《ぜんぶ》、感謝《かんしゃ》するときの言葉《ことば》なんだけど、実《じつ》は少《すこ》しずつニュアンス（意味《いみ》あい）がちがうことがわかるかな。

「謝意《しゃい》を表《ひょう》する」は、あらたまった場《ば》で使《つか》うよね。「恩《おん》に着《き》る」は、相手《あいて》が自分《じぶん》のために何《なに》かしてくれたことをありがたく思《おも》うこと。「おかげさま」は親切《しんせつ》にしてもらったお礼《れい》の言葉《ことば》だね。

その場面《ばめん》や状況《じょうきょう》に応《おう》じて言葉《ことば》を使《つか》いこなすことができるというのは、物事《ものごと》の感《かん》じ方《かた》が細《こま》やかで、感性《かんせい》が豊《ゆた》かであるということなんだよ。
感性《かんせい》が豊《ゆた》かだと、人《ひと》の気持《きも》ちを察《さっ》することができていい関係《かんけい》がつくれるし、楽《たの》しいことやうれしいことにたくさん出《で》あえるようになるんだ。

この本《ほん》では、「魚《さかな》」や「旅《たび》」などのテーマごとに、関連《かんれん》のある言葉《ことば》を集《あつ》めているよ。言葉《ことば》だけじゃなく、歌《うた》や俳句《はいく》、和歌《わか》や慣用句《かんようく》などもあるよ。こうしてグループとして言葉《ことば》をながめてみると、イメージがつながるから覚《おぼ》えやすくなるね。

日本《にほん》の言葉《ことば》を、楽《たの》しんで覚《おぼ》えよう！

齋藤孝《さいとうたかし》の覚《おぼ》えておきたい

日本語《にほんご》のうんちく

もくじ

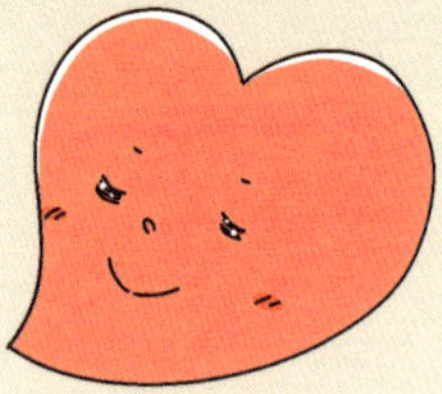

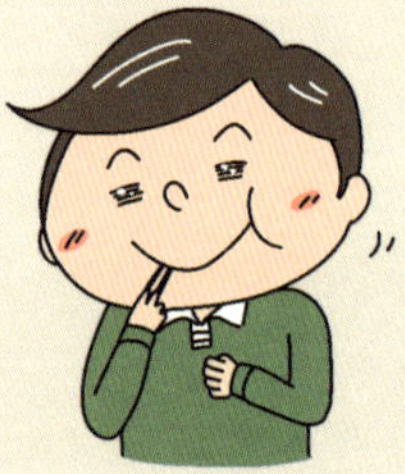

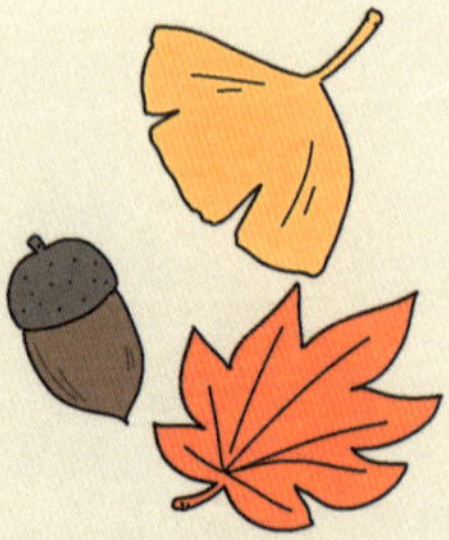

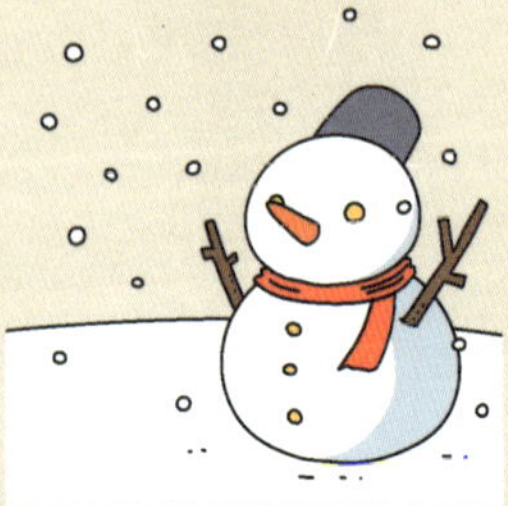

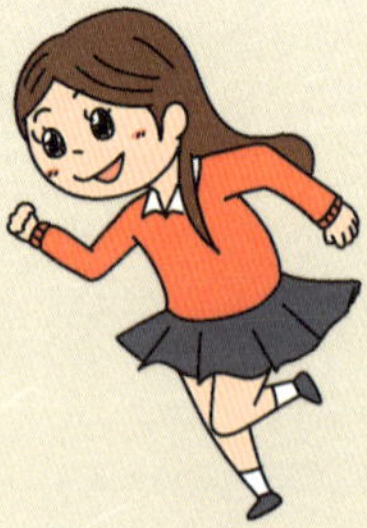

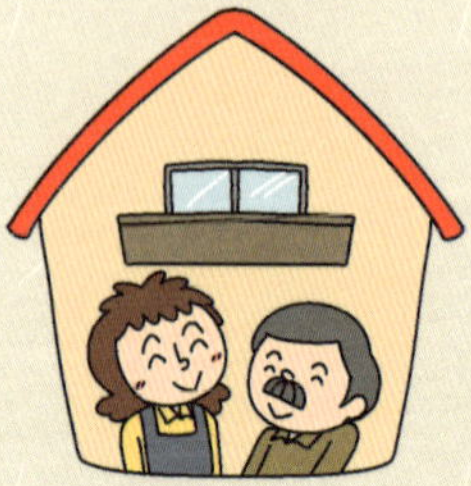

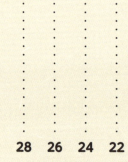

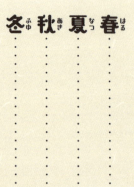

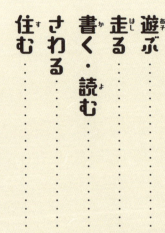

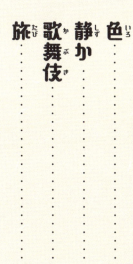

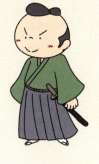

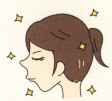

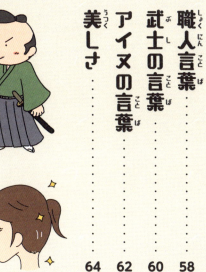

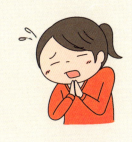

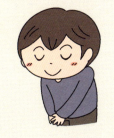

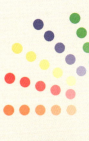

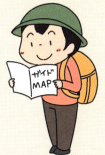

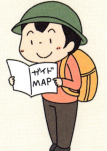

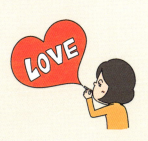

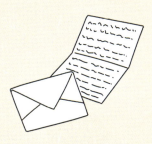

魚《さかな》

水《みず》を得《え》た魚《うお》のよう

(活躍《かつやく》の場《ば》を得《え》ていきいきしている様子《ようす》)

魚《うお》心《ごころ》あれば水《みず》心《ごころ》

(相手《あいて》の態度《たいど》によって自分《じぶん》の行動《こうどう》も決《き》まる)

鰯《いわし》の頭《かしら》も信心《しんじん》から

(つまらないものでも信《しん》じる人《ひと》には大切《たいせつ》であること)

逃《に》がした魚《さかな》は大《おお》きい

(手《て》に入《い》れそこなったものは、よく見《み》える)

鱧《はも》	鮫《さめ》	鰻《うなぎ》	鮎《あゆ》	鮪《まぐろ》
鮒《ふな》	鱸《すずき》	鯵《あじ》	鯉《こい》	鮭《さけ》
鱒《ます》	鱈《たら》	鮑《あわび》	鯖《さば》	鮃《ひらめ》

この漢字《かんじ》、お寿司屋《すしや》さんの湯《ゆ》のみで見《み》たことある！
全部《ぜんぶ》食《た》べてみたいなー

魚《さかな》へんの漢字《かんじ》は、まだまだたくさんあるよ。
当《あ》て字《じ》のような漢字《かんじ》もあるから、楽《たの》しみながら覚《おぼ》えてみよう！

行《ゆ》く春《はる》や 鳥《とり》なき魚《うお》の 目《め》は泪《なみだ》
松尾芭蕉《まつおばしょう》

（春《はる》にわたしは旅立《たびだ》つ、行《い》ってしまう春《はる》に鳥《とり》も魚《さかな》も涙《なみだ》をうかべているようだ）

くさっても鯛《たい》

（もともとすぐれたものはダメになっても価値《かち》がある）

鯛《たい》って高級《こうきゅう》な魚《さかな》っていうイメージなんだね

えびで鯛《たい》を釣《つ》る

（少《すこ》しの負担《ふたん》で多《おお》くの利益《りえき》を得《え》ること）

漁夫《ぎょふ》の利《り》

（関係《かんけい》ない人《ひと》が利益《りえき》を横《よこ》どりすること）

鯖《さば》を読《よ》む

（数《かず》をごまかすこと）

海《かい》砂《じゃ》利《り》水《すい》魚《ぎょ》

（古典落語《こてんらくご》の『寿限無《じゅげむ》』に出《で》てくる言葉《ことば》）

出世魚《しゅっせうお》

もじゃこ→いなだ→稚鰤《わらさ》→鰤《ぶり》

こっぱ→せいご→ふっこ→鱸《すずき》

しんこ→小鰭《こはだ》→鰶《このしろ》

成長《せいちょう》するごとに名前《なまえ》が変《か》わるから、出世魚《しゅっせうお》ってよばれているんだって

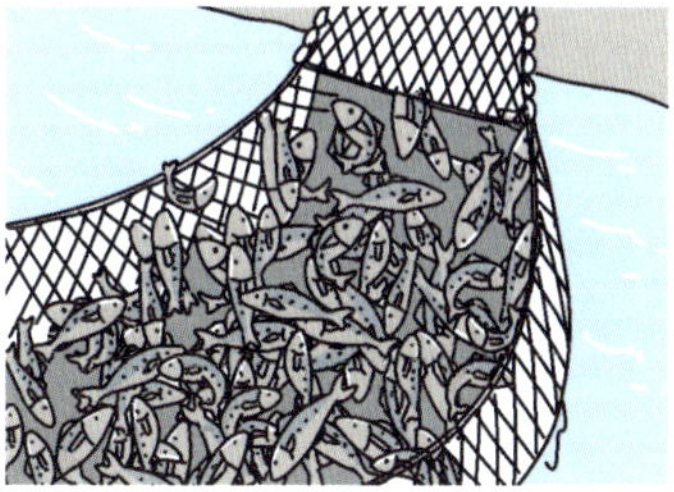

朝焼小焼《あさやけこやけ》だ
大漁《たいりょう》だ。
大羽鰮《おおばいわし》の
大漁《たいりょう》だ。

金子《かねこ》みすゞ《ず》
『大漁《たいりょう》』より

鯉《こい》の滝登《たきのぼ》り

（勢《いきお》いがよいこと）

木《き》によりて魚《うお》を求《もと》む

（方法《ほうほう》をまちがえると目的《もくてき》を達《たっ》せられないこと）

鳥《とり》

飛《と》ぶ鳥《とり》を落《お》とす勢《いきお》い

(きわめて勢《いきお》いがさかんである)

閑《かん》古《こ》鳥《どり》が鳴《な》く

(商売《しょうばい》がはやっていない)

立《た》つ鳥《とり》あとをにごさず

(去《さ》るときは後始末《あとしまつ》をする)

鳶《とび》が鷹《たか》を生《う》む

(普通《ふつう》の親《おや》からすぐれた子《こ》が生《う》まれる)

能《のう》ある鷹《たか》は爪《つめ》を隠《かく》す

(実力《じつりょく》のある人《ひと》は見《み》せびらかさない)

これはぼくのことだね

爪《つめ》を隠《かく》してばかりいないで、
たまには実力《じつりょく》を
披露《ひろう》してもいいのよ

雀百《すずめひゃく》まで踊《おど》り忘《わす》れず

(おさないときの習慣《しゅうかん》は変《か》わらない)

まだまだ
踊れるんじゃよ…

日本語《にほんご》には、決《き》まったいい方《かた》をするものがあって、これを「ことわざ」とか「慣用句《かんようく》」というんだ。「ことわざ」には、昔《むかし》の人《ひと》の教《おし》えがこめられているよ。

てふてふ《ちょうちょう》が一匹韃靼海峡《いっぴきだったんかいきょう》を渡《わた》つて行《い》つた。

安西冬衛《あんざいふゆえ》『春《はる》』

鳥《とり》じゃないけどね

すずめの子《こ》
そこのけそこのけ
お馬《うま》が通《とお》る

小林一茶《こばやしいっさ》

足引《あしび》きの 山鳥《やまどり》の尾《お》の しだり尾《お》の
ながながし夜《よ》を ひとりかもねむ《ん》

柿本人麻呂《かきのもとのひとまろ》

一《いっ》石《せき》二《に》鳥《ちょう》

「一石二鳥《いっせきにちょう》」の反対《はんたい》は「二兎《にと》を追《お》う者《もの》は一兎《いっと》をも得《え》ず」だね！

かごの鳥《とり》

尾《お》の長《なが》い鳥《とり》で、秋《あき》の夜長《よなが》を表《あらわ》しているのね

鳥《とり》のつく市《し》の名前《なまえ》

鳥栖《とす》

鳥羽《とば》

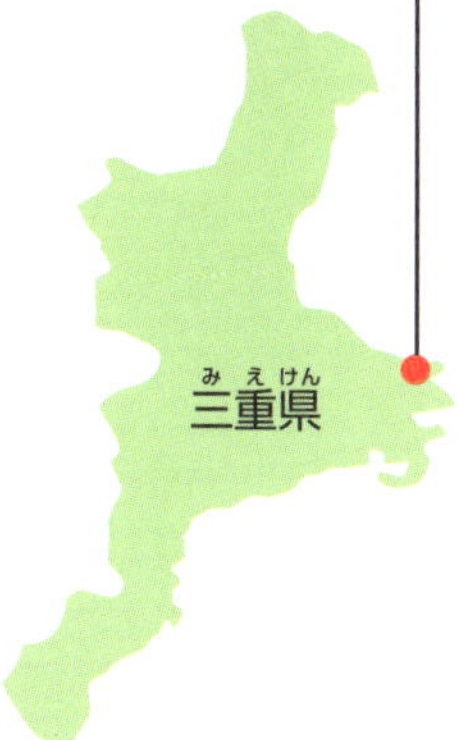

鳥取《とっとり》

雨《あめ》

雨脚《あまあし》がはやい

（雨《あめ》が通《とお》りすぎるのがはやい）

感謝感激雨霰《かんしゃかんげきあめあられ》

（とても感謝《かんしゃ》していること）

遣《や》らずの雨《あめ》

友《とも》だちの家《いえ》から帰《かえ》ろうと思《おも》ったときにかぎって、雨《あめ》が降《ふ》ってくるんだよねー。まいったよー

帰《かえ》る人《ひと》を引《ひ》きとめるように降《ふ》る雨《あめ》を「遣《や》らずの雨《あめ》」っていうのよ

雨隠《あまがく》れ

（雨宿《あまやど》り）

霧雨《きりさめ》

（霧《きり》のように細《こま》かな雨《あめ》）

小糠雨《こぬかあめ》

（細《こま》かい雨《あめ》）

涙雨《なみだあめ》

（悲《かな》しいときの雨《あめ》）

時雨《しぐれ》

（晩秋《ばんしゅう》から初冬《しょとう》の小雨《こさめ》）

ほんの少《すこ》しだけ、まるで涙《なみだ》を流《なが》すように降《ふ》る雨《あめ》を「涙雨《なみだあめ》」っていうのね。なんだかロマンチック

雨《あめ》は、降《ふ》る時期《じき》と降《ふ》る様子《ようす》によって、さまざまな言葉《ことば》で表現《ひょうげん》されているんだ。自然現象《しぜんげんしょう》と人《ひと》の感情《かんじょう》を重《かさ》ねあわせる、日本人《にほんじん》ならではの感性《かんせい》だね。

雨《あめ》降《ふ》って地《じ》固《かた》まる

（争《あらそ》いごとのあとはかえってうまくいく）

雨《あま》だれ石《いし》をうがつ

（根気《こんき》よく続《つづ》ければ成功《せいこう》する）

雨《う》後《ご》のたけのこ

（物事《ものごと》が次々《つぎつぎ》とあらわれ出《で》ること）

にょき
にょき
にょき
にょき

雨《あめ》ニモマケズ
風《かぜ》ニモマケズ
宮沢賢治《みやざわけんじ》『雨《あめ》ニモマケズ』より

狐《きつね》の嫁《よめ》入《い》り

（日《ひ》が照《て》っているのに雨《あめ》が降《ふ》ること）

芥川龍之介《あくたがわりゅうのすけ》の『羅生門《らしょうもん》』の冒頭《ぼうとう》ね

なんか不吉《ふきつ》な感《かん》じがするね。何《なに》か事件《じけん》が起《お》こりそうだよ…

ある日《ひ》の暮《く》れ方《がた》のことである。一人《ひとり》の下人《げにん》が、羅生門《らしょうもん》の下《した》で雨《あま》やみを待《ま》っていた。

道《みち》

この道《みち》はいつか来《き》た道《みち》

北原白秋作詞《きたはらはくしゅうさくし》
『この道《みち》』より

僕《ぼく》の前《まえ》に道《みち》はない

僕《ぼく》の後《うし》ろに道《みち》は出来《でき》る

高村光太郎《たかむらこうたろう》『道程《どうてい》』より

まっすぐな道《みち》でさみしい

山路《やまみち》を登《のぼ》りながら、こう考《かんが》えた。
智《ち》に働《はたら》けば角《かど》が立《た》つ。
情《じょう》に棹《さお》させば流《なが》される。
意地《いじ》を通《とお》せば窮屈《きゅうくつ》だ。
とかくに人《ひと》の世《よ》は住《す》みにくい。

旅《たび》をしながら俳句《はいく》をつくった種田山頭火《たねださんとうか》の句《く》。人生《じんせい》の悲哀《ひあい》を感《かん》じるなあ…

夏目漱石《なつめそうせき》の『草枕《くさまくら》』の冒頭《ぼうとう》ね。人間関係《にんげんかんけい》のむずかしさをいっているのよね

通《とお》りゃんせ　通《とお》りゃんせ
ここはどこの　細道《ほそみち》じゃ

『通《とお》りゃんせ』より

「道《みち》」という言葉《ことば》は、「人生《じんせい》」や「生《い》き方《かた》」という意味《いみ》でも使《つか》われるね。きみはどんな「道《みち》」を歩《あゆ》むのかな？　自分《じぶん》だけの道《みち》を見《み》つけよう！

我《わ》が道《みち》を行《い》く

道《みち》なき道《みち》を行《い》く

ぼくは我《わ》が道《みち》を行《い》く!
だから、ピーマンは食《た》べない!
「我《わ》が道《みち》を行《い》く」って、そういうことじゃないんだけど…

道《みち》をつける

(後輩《こうはい》の手引《てび》きをする)

東《とう》海《かい》道《どう》五《ご》十《じゅう》三《さん》次《つぎ》

道《みち》しるべ

(道《みち》を示《しめ》すもの)

道程《どうてい》

(道《みち》のり)

けもの道《みち》

(動物《どうぶつ》が自然《しぜん》につけた道《みち》)

のしのし

柔《じゅう》道《どう》

剣《けん》道《どう》

合《あい》気《き》道《どう》

オッス!

春《はる》

花明《はなあ》かり

(満開《まんかい》の桜《さくら》で、夜《よる》でもそのあたりが明《あか》るく見《み》えること)

春《はる》はあけぼの

清少納言《せいしょうなごん》の『枕草子《まくらのそうし》』の冒頭《ぼうとう》ね。春《はる》はほのぼのと夜《よる》が明《あ》けるころがいいっていっているのよね

春《はる》の海《うみ》　終日《ひねもす》のたり　のたり哉《かな》

与謝蕪村《よさぶそん》

(春《はる》の海《うみ》が一日中《いちにちじゅう》うねっている様子《ようす》)

春雨《はるさめ》じゃ　濡《ぬ》れて行《い》こう

行友李風《ゆきともりふう》『月形半平太《つきがたはんぺいた》』より

入学式《にゅうがくしき》

わあ、一年生《いちねんせい》だ。かわいいわね

入学式《にゅうがくしき》がなつかしいなあ。ランドセルがうれしかったよね！

卒業式《そつぎょうしき》

春《はる》は草木《くさき》が芽吹《めぶ》く時期《じき》。生命《せいめい》がいきいきとかがやく季節《きせつ》だね。楽《たの》しくて明《あか》るいイメージの言葉《ことば》や歌《うた》が多《おお》いよ。どんな歌《うた》なのか、先生《せんせい》やうちの人《ひと》に聞《き》いてみよう！

春《はる》が来《き》た　春《はる》が来《き》た　どこに来《き》た
山《やま》に来《き》た　里《さと》に来《き》た　野《の》にも来《き》た

高野辰之《たかのたつゆき》作詞《さくし》
『春《はる》が来《き》た』より

うららか

陽炎《かげろう》　東風《こち》

春《はる》よ来《こ》い　早《はや》く来《こ》い

相馬御風《そうまぎょふう》作詞《さくし》『春《はる》よ来《こ》い』より

春《はる》のうららの隅田川《すみだがわ》
のぼりくだりの船人《ふなびと》が
櫂《かい》のしずくも花《はな》と散《ち》る
ながめを何《なに》にたとうべき

武島羽衣《たけしまはごろも》作詞《さくし》『花《はな》』より

東京《とうきょう》の隅田川《すみだがわ》ぞいは、毎年桜《まいとしさくら》がたくさんさくのよね

お花見《はなみ》はいいよね。ぼくたちもお弁当《べんとう》持《も》って行《い》こうよ！

春高楼《はるこうろう》の花《はな》の宴《えん》
めぐる盃《さかずき》かげさして
千代《ちよ》の松《まつ》が枝《え》分《わ》けいでし
むかしの光《ひかり》いまいずこ

土井晩翠《どいばんすい》作詞《さくし》『荒城《こうじょう》の月《つき》』より

これは『荒城《こうじょう》の月《つき》』っていう歌《うた》なんだね

歌詞《かし》が七五調《しちごちょう》になっているのよ。だからリズムがいいのね！

夏《なつ》

夏雲《なつぐも》

夏草《なつくさ》

土用波《どようなみ》

(夏《なつ》の土用《どよう》のころに打《う》ちよせる大波《おおなみ》)

月見草《つきみそう》

向日葵《ひまわり》

海水浴《かいすいよく》

海開《うみびら》き

夕涼《ゆうすず》み

初夏《しょか》　盛夏《せいか》　晩夏《ばんか》

そうよ。日本《にほん》では季節《きせつ》の変化《へんか》を大切《たいせつ》にしているからじゃないかしら

夏《なつ》も、時期《じき》によってよび名《な》が変《か》わるんだね

暑中見舞《しょちゅうみま》い

お中元《ちゅうげん》

暑《あつ》い夏《なつ》だからこそ、「涼《りょう》を求《もと》める言葉《ことば》」が生《う》まれたんだね。冷《つめ》たい川《かわ》や月《つき》がのぼる夜《よる》の描写《びょうしゃ》は、日中《にっちゅう》の暑《あつ》さとの対比《たいひ》が際立《きわだ》っているよね。これこそ「ギャップの魅力《みりょく》」だよ。

五月雨《さみだれ》を　あつめて早《はや》し　最上川《もがみがわ》

松尾芭蕉《まつおばしょう》

夏河《なつかわ》を　越《こ》すうれしさよ　手《て》に草履《ぞうり》

与謝蕪村《よさぶそん》

夏《なつ》も近《ちか》づく　八十八夜《はちじゅうはちや》

『茶摘《ちゃつみ》』より

立春《りっしゅん》から88日目《にちめ》を「八十八夜《はちじゅうはちや》」っていうのね。今《いま》でいうと5月2日《がつふつか》ごろみたいだけど、この時期《じき》にお茶《ちゃ》の葉《は》をつむんだって

春《はる》過《す》ぎて　夏来《なつき》にけらし　白妙《しろたえ》の
衣《ころも》ほすてふ《ちょう》　天《あま》の香具山《かぐやま》

持統天皇《じとうてんのう》

(春《はる》がすぎて夏《なつ》になったらしい、天《あま》の香具山《かぐやま》に真《ま》っ白《しろ》な衣《ころも》がほしてあるよ)

夏《なつ》は来《き》ぬ

佐《さ》佐《さ》木《き》信綱《のぶつな》作詞《さくし》『夏《なつ》は来《き》ぬ』より

夏《なつ》はよる。
月《つき》の頃《ころ》はさらなり、
やみもなほ《お》、
ほたるの多《おお》く飛《と》びちがひ《い》たる。

清少納言《せいしょうなごん》『枕草子《まくらのそうし》』より

夏《なつ》は夜《よる》がいいのね。暗《くら》い中《なか》でホタルが飛《と》んでいるのは、幻想的《げんそうてき》よね

ホタルは水辺《みずべ》にいるんだよ。よし、絶対《ぜったい》に見《み》に行《い》くぞ！

秋《あき》

秋《あき》は夕暮《ゆうぐれ》。夕日《ゆうひ》のさして
山《やま》のはいとちか《こ》うなりたるに、
からすのねどころへ行《ゆ》くとて、
みつよつ、
ふたつみつなど
とびいそぐさへ《え》
あは《わ》れなり。

清少納言《せいしょうなごん》『枕草子《まくらのそうし》』より

ちはやぶる　神代《かみよ》も聞《き》かず　龍田川《たつたがわ》
から紅《くれない》に　水《みず》くくるとは

在原業平朝臣《ありわらのなりひらあそん》

紅葉《こうよう》の葉《は》が
川《かわ》に落《お》ちて、
赤《あか》いじゅうたん
みたいになっている
様子《ようす》ね

葉《は》っぱが
布《ぬの》みたいに
見《み》えるっていう
発想《はっそう》がすごいねー

実《みの》るほど
頭《こうべ》を垂《た》るる
稲穂《いなほ》かな

秋深《あきふか》き　隣《となり》は何《なに》を　する人《ひと》ぞ

松尾芭蕉《まつおばしょう》

秋桜《こすもす》

枯《か》れ木《き》も山《やま》のにぎわい

（つまらぬ者《もの》でもいた方《ほう》がにぎやかになる）

これは自分《じぶん》をけんそんしていう言葉《ことば》ね

そっか、「枯《か》れ木《き》も山《やま》のにぎわいっていうから、ぜひ来《き》てください」って人《ひと》にいっちゃダメなんだね！

天《てん》高《たか》く馬《うま》肥《こ》ゆる秋《あき》

これは秋《あき》の季節《きせつ》がすばらしいということをいっているのね

秋《あき》の日《ひ》はつるべ落《お》とし

（秋《あき》は日《ひ》が暮《く》れるのが早《はや》い）

危《き》急《きゅう》存《そん》亡《ぼう》の秋《とき》

（危機《きき》がせまって、生《い》き残《のこ》るかほろびるかのせとぎわ）

秋《あき》の夜《よ》長《なが》

秋《あき》の長《なが》雨《あめ》

読書《どくしょ》の秋《あき》

食欲《しょくよく》の秋《あき》

実《み》りの秋《あき》

収穫《しゅうかく》の秋《あき》

暑《あつ》さがひいてすごしやすくなる秋《あき》は、いろんなことに集中《しゅうちゅう》できる季節《きせつ》だね。昼間《ひるま》よりも夜《よる》の方《ほう》が長《なが》くなるから「秋《あき》の夜長《よなが》」っていうんだよ。

雪合戦《ゆきがっせん》

雪《ゆき》だるま

冬将軍《ふゆしょうぐん》

（冬《ふゆ》のきびしい寒《さむ》さのこと）

寒《かん》の入《い》り

（寒《さむ》さきびしい「小寒《しょうかん》」に入《はい》ること。1月5日《がついつか》ごろ）

三寒四温《さんかんしおん》

（だんだんとあたたかくなること）

冬至《とうじ》

冬至《とうじ》って、昼《ひる》が一年《いちねん》のうちで一番短《いちばんみじか》い日《ひ》だっけ？
そうそう、冬至《とうじ》から少《すこ》しずつ春《はる》に向《む》かっていくのよね

お歳暮《せいぼ》

わーい

小春日和《こはるびより》

（初冬《しょとう》のおだやかであたたかい日《ひ》）

冬枯《ふゆが》れ

（草木《くさき》が枯《か》れてさびしい様子《ようす》）

雪化粧《ゆきげしょう》

（雪《ゆき》が積《つ》もって真《ま》っ白《しろ》に化粧《けしょう》したようになること）

歳末《さいまつ》

「歳末大売《さいまつおおう》り出《だ》し」って看板《かんばん》が出《で》てるよね
そうよ！年《とし》の瀬《せ》の買《か》いものが楽《たの》しみだわー

「冬《ふゆ》の時代《じだい》」というと、物事《ものごと》が低調気味《ていちょうぎみ》であることだね。冬《ふゆ》は寒《さむ》いし、雪《ゆき》が降《ふ》れば空《そら》も暗《くら》い。でも次《つぎ》に待《ま》っている季節《きせつ》は春《はる》だから、そちらに目《め》を向《む》ければ、明《あか》るい兆《きざ》しが見《み》えるよ。

冬《ふゆ》はつとめて。雪《ゆき》の降《ふ》りたるはいふ《う》べきにもあらず

(冬《ふゆ》は早朝《そうちょう》がいい。雪《ゆき》が降《ふ》った朝《あさ》はいうまでもなくいいものだ)

清少納言《せいしょうなごん》『枕草子《まくらのそうし》』より

ともかくも　あなたまかせの　年《とし》の暮《く》れ

これは小林一茶《こばやしいっさ》の俳句《はいく》だよね

「あなた」って阿弥陀様《あみださま》のことなのね。何《なん》でも神《かみ》だのみってことかしら

旅《たび》に病《や》んで　夢《ゆめ》は枯野《かれの》を　かけめぐる

松尾芭蕉《まつおばしょう》

山里《やまざと》は　冬《ふゆ》ぞ寂《さび》しさ　まさりける
人目《ひとめ》も草《くさ》も　かれぬと思《おも》へば

源宗于朝臣《みなもとのむねゆきあそん》

(山里《やまざと》の冬《ふゆ》はよりさびしい、人《ひと》も来《こ》ないし草木《くさき》も枯《か》れてしまうから)

むまさうな　雪《ゆき》がふうはり　ふはり哉《かな》

小林一茶《こばやしいっさ》

ふんわりした雪《ゆき》が降《ふ》ってきたってことかなあ

かき氷《ごおり》みたいにやわらかい雪《ゆき》なんじゃない？かき氷《ごおり》、大好《だいす》き！

きっぱりと冬《ふゆ》が来《き》た

高村光太郎《たかむらこうたろう》『冬《ふゆ》が来《き》た』より

手《て》

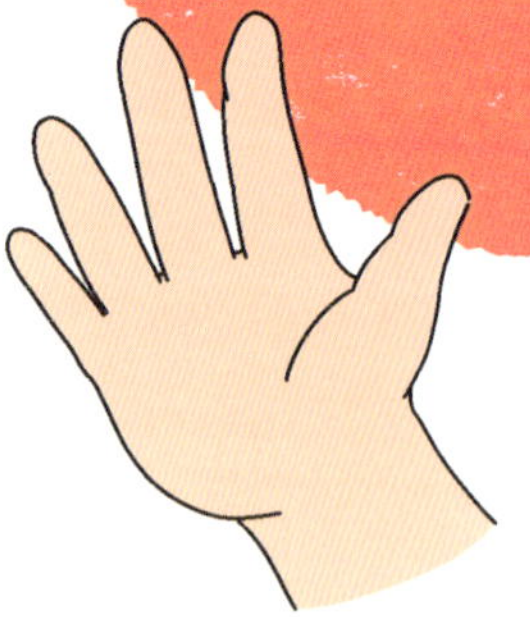

懐手《ふところで》

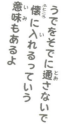

拍手《はくしゅ》

握手《あくしゅ》

手《て》洗《あら》い

手《て》を貸《か》す

手《て》塩《しお》にかける

（自《じ》分《ぶん》で大事《だいじ》に世《せ》話《わ》をする）

手《て》を広《ひろ》げる

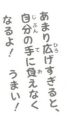

「手《て》」は、手段《しゅだん》や労力《ろうりょく》、腕前《うでまえ》や戦略《せんりゃく》、筆跡《ひっせき》など、いろんな意味《いみ》で使《つか》われるよ。「手《て》も足《あし》も出《で》ない」は、手段《しゅだん》の意味《いみ》で使《つか》っているね。

この手《て》 あの手《て》 その手《て》

お手《て》のもの お手《て》数《すう》

はたらけど はたらけど
猶《なお》わが生活《くらし》 楽《らく》にならざり
ぢっと手《て》を見《み》る

石川啄木《いしかわたくぼく》の短歌《たんか》かあ。なんか、落《お》ちこんでる感《かん》じがするね

たくさん仕事《しごと》をしても、ずっと生活《せいかつ》が苦《くる》しかったのね

手《て》に汗《あせ》を握《にぎ》る

手《て》のひらを太陽《たいよう》に

やなせたかし作詞《さくし》『手《て》のひらを太陽《たいよう》に』より

心《こころ》

心《こころ》を砕《くだ》く

心《こころ》を砕《くだ》いちゃうって、どういう意味《いみ》？なんだかすごいなー

いろいろと考《かんが》えるとか、心配《しんぱい》するという意味《いみ》よ

心《こころ》を寄《よ》せる

心《こころ》が動《うご》く

心《こころ》を込《こ》める

心《こころ》ここにあらず

心《こころ》細《ぼそ》い

不安《ふあん》なことを「心細《こころぼそ》い」というね。心《こころ》がしっかりしていることは「心太《こころぶと》」っていうんだよ！

心《こころ》のままに

細《さい》心《しん》の注《ちゅう》意《い》

心《こころ》から感《かん》謝《しゃ》します

「心《こころ》」は、気持《きも》ちという意味《いみ》だけでなく「思《おも》いやり」という意味《いみ》でも使《つか》われるよ。「心《こころ》ある人《ひと》」「心《こころ》ない仕打《しう》ち」などは、「思《おも》いやり」の意味《み》だね。

この歌《うた》の「花《はな》」は
梅《うめ》の花《はな》のことなんだね

人《ひと》の心《こころ》は変《か》わるけど、
花《はな》の香《かお》りは変《か》わらないって
ことね

人《ひと》はいさ　心《こころ》も知《し》らず　ふるさとは
花《はな》ぞ昔《むかし》の　香《か》ににほ《お》ひ《い》ける

紀貫之《きのつらゆき》

小倉山《おぐらやま》　峰《みね》のもみぢ《じ》葉《ば》　心《こころ》あらば
今《いま》ひとたびの　みゆき待《ま》たなむ《ん》

貞信公《ていしんこう》

（紅葉《もみじ》よ、もう一度《いちど》天皇《てんのう》がおいでになるときまで散《ち》らないで）

心《しん》底《そこ》

決《けっ》心《しん》

本《ほん》心《しん》

御《み》心《こころ》

仏《ほとけ》心《ごころ》

食《た》べる

となりの客《きゃく》はよく柿食《かきく》う客《きゃく》だ

生麦《なまむぎ》　生米《なまごめ》　生卵《なまたまご》

早口言葉《はやくちことば》にも、よく食《た》べものが出《で》てくるわよね

なまむぎなまなまご…
あれれ。
よし、もう1回挑戦《かいちょうせん》！
まなむぎまなごめ…？

はじめちょろちょろ 中《なか》ぱっぱ 赤子泣《あかごな》くとも ふた取《と》るな

瓜《うり》食《は》めば　子《こ》ども思《おも》ほ《お》ゆ
栗《くり》食《は》めば　まして偲《しぬ(の)》はゆ

『万葉集《まんようしゅう》』にある山上憶良《やまのうえのおくら》の歌《うた》で、瓜《うり》や栗《くり》を食《た》べると、子《こ》どものことを思《おも》い出《だ》すっていう意味《いみ》ね。家族《かぞく》で楽《たの》しく食《た》べたときのことを思《おも》い出《だ》すのかしら

朝飯前《あさめしまえ》（とてもかんたんなこと）

絵《え》に描《か》いた餅《もち》
（実際《じっさい》には役《やく》に立《た》たないこと）

「蓼食《たでく》う虫《むし》も好《す》き好《ず》き」は、人《ひと》の好《この》みはいろいろであるということ。
「食《く》うか食《く》われるか」は勝《か》ち負《ま》けがきわどいたたかいのこと。
「食《しょく》」を使《つか》った言葉《ことば》を探《さが》してみよう！

お兄《にい》ちゃん、食《しょく》が進《すす》むのはいつものことでしょ

いやあ、昨日《きのう》はぐっすり寝《ね》たから食《しょく》が進《すす》むなあ

食《しょく》指《し》が動《うご》く

（物事《ものごと》をしてみようと思《おも》う）

食《しょく》が進《すす》む

食《しょく》が細《ほそ》い

（あまり食《た》べないこと、小食《しょうしょく》なこと）

食物連鎖《しょくもつれんさ》

（生物《せいぶつ》が食《く》うものと食《く》われるもので結《むす》びついていること）

草食動物《そうしょくどうぶつ》

食傷気味《しょくしょうぎみ》

（同《おな》じことが続《つづ》いて、いやになること）

肉食動物《にくしょくどうぶつ》

食《しょく》あたり

なんか、おなかが痛《いた》いなあ。食《しょく》あたりかな？

何《なに》いってんの、ただの食《た》べすぎでしょ！

和食《わしょく》

食育《しょくいく》

給食《きゅうしょく》

歩《ある》く

犬《いぬ》も歩《ある》けば棒《ぼう》に当《あ》たる

徒歩《とほ》

競歩《きょうほ》

散歩《さんぽ》

歩数計《ほすうけい》

或日《あるひ》のことでございます。お釈迦様《しゃかさま》は極楽《ごくらく》の蓮池《はすいけ》のふちを、独《ひと》りでぶらぶらお歩《ある》きになつ《っ》ていらつ《っ》しや《ゃ》いました。

芥川龍之介《あくたがわりゅうのすけ》の『蜘蛛の糸《くものいと》』の冒頭《ぼうとう》ね！
お釈迦様《しゃかさま》がぶらぶら歩《ある》いているなんて平和《へいわ》な感《かん》じがするけど、
ここから何《なに》が起《お》こるのかしら…

食《た》べ歩《ある》き

やっぱり旅行《りょこう》するなら食《た》べ歩《ある》きにかぎるね！

ふだん食《た》べたことのないものに出《で》あえるしね。
次《つぎ》、何《なに》食《た》べようかなあ

歩《ある》きながら考《かんが》え事《ごと》をすると、いいアイデアがうかぶことがあるよ。「歩《ある》く」と「考《かんが》える」という二《ふた》つの動作《どうさ》を同時《どうじ》に行《おこな》うことが、いい刺《し》激《げき》になるんだね！

ぼくたちにも
あんなときが
あったんだね

かわいいわねえ

よちよち

這《は》えば立《た》て、立《た》てば歩《あゆ》めの親心《おやごころ》

（子《こ》どもの成長《せいちょう》を心待《こころま》ちにする親《おや》の気持《きも》ち）

すたすた

のそのそ

せかせか

のろのろ

「かち」は「徒歩」って書《か》いて、
「歩《ある》いて」っていう意味《いみ》なんだー。
このお坊《ぼう》さん、肝心《かんじん》なものを
おがまないで帰《かえ》って
きちゃったんだよね…

仁和寺《にんなじ》にある法師《ほうし》、年《とし》よるまで、
石清水《いわしみず》を拝《おが》まざりければ、
心《こころ》うく覚《おぼ》えて、ある時思《ときおも》ひ立《た》ちて、
ただひとりかちより詣《もう》でけり。

兼好法師《けんこうほうし》『徒然草《つれづれぐさ》』より

（仁和寺《にんなじ》のお坊《ぼう》さんが、年《とし》を取《と》るまで石清水八幡宮《いわしみずはちまんぐう》を参拝《さんぱい》しなかったので、あるとき決心《けっしん》して一人《ひとり》で歩《ある》いてお参《まい》りに行《い》った）

独《どく》立《りつ》独《どっ》歩《ぽ》

一人《ひとり》歩《ある》き

遊《あそ》ぶ

遊《あそ》びがある

ゆとりがあるという意味《いみ》ね

人間《にんげん》は、ちょっとくらい遊《あそ》びのある人《ひと》の方《ほう》が魅力的《みりょくてき》だよ！ぼくみたいにね

物見遊山《ものみゆさん》

（見物《けんぶつ》して遊《あそ》びまわること）

高等遊民《こうとうゆうみん》

夏目漱石《なつめそうせき》が小説《しょうせつ》の中《なか》で使《つか》った言葉《ことば》。大学《だいがく》を出《で》ても働《はたら》かないでいる人《ひと》のことね

遊撃手《ゆうげきしゅ》

ぼくは野球《やきゅう》でショートを守《まも》っているから、遊撃手《ゆうげきしゅ》だね！

お兄《にい》ちゃん、次《つぎ》の試合《しあい》がんばってね！お弁当《べんとう》持《も》って応援《おうえん》に行《い》くから

よく学《まな》び、よく遊《あそ》べ

遊《あそ》び心《ごころ》

遊《あそ》び半分《はんぶん》

「遊《あそ》び」には、「ゆとり」や「余裕《よゆう》」という意味《いみ》もあるよ。車《くるま》のハンドルにも「遊《あそ》び」があって、ゆるやかに方向《ほうこう》が変《か》えられるようになっているんだ。何事《なにごと》も、キッチリしすぎない方《ほう》がいいね。

遊《あそ》びをせんとや生《う》まれけむ《ん》
戯《たわぶ》れせんとや生《む(う)》まれけん
遊《あそ》ぶ子《こ》どもの声《こえ》聞《き》けば
わが身《み》さへ《え》こそ揺《ゆ》るがるれ

遊園地《ゆうえんち》

園遊会《えんゆうかい》
（たくさんの客《きゃく》をまねいて庭園《ていえん》で行《おこな》うパーティー）

回遊魚《かいゆうぎょ》
（ある季節《きせつ》や時期《じき》に、決《き》まったルートを泳《およ》いで移動《いどう》する魚《さかな》）

吟遊《ぎんゆう》（詩《し》や歌《うた》をつくりながら旅《たび》をすること）

遊学《ゆうがく》（ふるさとから出《で》てよその土地《とち》で学《まな》ぶこと）

交遊《こうゆう》（親《した》しくつきあうこと）

遊覧《ゆうらん》（見物《けんぶつ》してまわること）

へぇ～、『梁塵秘抄《りょうじんひしょう》』っていう歌謡集《かようしゅう》にある歌《うた》なんだね

遊《あそ》ぶ子《こ》どもの声《こえ》を聞《き》いていると、自分《じぶん》まで動《うご》き出《だ》しそうっていう意味《いみ》よ

小林一茶《こばやしいっさ》の俳句《はいく》ね。母親《ははおや》を亡《な》くしてさびしい気持《きも》ちを詠《よ》んでいるのね

親《おや》と別《わか》れた雀《すずめ》に、自分《じぶん》を見《み》ているのかな。一茶《いっさ》ってやさしいね

西遊記《さいゆうき》

我《われ》と来《き》て遊《あそ》べや親《おや》のない雀《すずめ》

走る《はし》

はせ参《さん》ずる

（大急《おおいそ》ぎで目上《めうえ》の人《ひと》の元《もと》に行《い》く）

脱兎《だっと》のごとく

（逃《に》げ出《だ》すうさぎのように速《はや》く）

痛《いた》みが走《はし》る

『走《はし》れメロス』

太宰治《だざいおさむ》の小説《しょうせつ》ね。友《とも》だちの命《いのち》を守《まも》るためにメロスは一生懸命《いっしょうけんめい》走《はし》るのよね

友情《ゆうじょう》っていいなあ

走《はし》り書《が》き

先《さき》走《ばし》る

ペンが走《はし》る

今日《きょう》の作文《さくぶん》の宿題《しゅくだい》は、すらすらとペンが走《はし》ったよ！

すごい！作文《さくぶん》の才能《さいのう》があるのかもよ！

「走《はし》る」には、「足《あし》で速《はや》く移動《いどう》する」という意味《いみ》のほかに、「思《おも》い通《どお》りにすらすらとできる」という意味《いみ》もあるよ。「駆《か》ける」も同《おな》じような意味《いみ》だけど、話《はな》し言葉《ことば》で使《つか》う感《かん》じだね。

疾走《しっそう》

完走《かんそう》

独走《どくそう》

助走《じょそう》

伴走《ばんそう》

(競技《きょうぎ》で走《はし》る人《ひと》につきそって走《はし》ること)

暴走《ぼうそう》

宮沢賢治《みやざわけんじ》の詩《し》『永訣《えいけつ》の朝《あさ》』の一節《いっせつ》ね。
寒《さむ》い冬《ふゆ》、妹《いもうと》が病気《びょうき》で亡《な》くなる前《まえ》に
「みぞれを取《と》ってきてください」と
いったから、賢治《けんじ》は
走《はし》って飛《と》び出《だ》したのよね

わたくしはまがつ《っ》たてつ《っ》ぽうだまのやう《よ》に
このくらいみぞれのなかに飛《と》びだした

妹思《いもうとおも》いのお兄《にい》ちゃんだったんだね。

妹《いもうと》のために
「曲《ま》がった鉄砲玉《てっぽうだま》のように」

走《はし》る賢治《けんじ》の気持《きも》ち、わかるよー。

ぼくもお兄《にい》ちゃんだからさ

猪《ちょ》突《とつ》猛《もう》進《しん》

イノシシみたいに、
猛烈《もうれつ》に進《すす》むことを
いうのね

悪《あく》事《じ》千《せん》里《り》を走《はし》る

(悪《わる》いことはすぐに世間《せけん》に知《し》れ渡《わた》る)

韋《い》駄《だ》天《てん》走《ばし》り

韋駄天《いだてん》は仏教《ぶっきょう》の守護神《しゅごしん》になった神様《かみさま》で、
足《あし》が速《はや》いことで知《し》られているんだね

書《か》く・読《よ》む

つれづれなるままに、日《ひ》くらし硯《すずり》にむかひ《い》て、心《こころ》にうつりゆくよしなし事《ごと》を、そこはかとなく書《か》きつくれば、あやしう《しゅう》こそものぐるほ《お》しけれ。

(特《とく》にすることもなく、一日中《いちにちじゅう》、硯《すずり》に向《む》かって取《と》りとめないことを書《か》いていると、くるおしくなってくる)

兼好法師《けんこうほうし》の『徒然草《つれづれぐさ》』の冒頭《ぼうとう》だね。今《いま》でいう、ブログやエッセーみたいな感《かん》じかな

書《か》く
綴《つづ》る
したためる

著《あらわ》す　筆《ふで》をとる

記載《きさい》する　記述《きじゅつ》する

男《おとこ》もすなる日記《にき》といふ《う》ものを、女《おんな》もしてみむ《ん》とてするなり。

(男《おとこ》の人《ひと》が書《か》くという日記《にっき》を、女《おんな》のわたしもしてみようと思《おも》って書《か》くのです)

紀貫之《きのつらゆき》の『土佐日記《とさにっき》』ね。旅《たび》のことを書《か》いたのよね

平安時代《へいあんじだい》の男《おとこ》の人《ひと》は漢文《かんぶん》を書《か》いていたけど、紀貫之《きのつらゆき》はひらがなまじりの文《ぶん》で書《か》いたんだよね

文字《もじ》を書《か》いたり読《よ》んだりすると、考《かんが》える力《ちから》がつくね。読書《どくしょ》は、本《ほん》と自分《じぶん》との対話《たいわ》。本《ほん》を読《よ》むことで、自分《じぶん》の考《かんが》えをより深《ふか》めることができるんだよ。

蛍《ほたる》の光《ひかり》　窓《まど》の雪《ゆき》
書《ふみ》よむ月日《つきひ》　重《かさ》ねつつ
いつしか年《とし》も　すぎの戸《と》を
あけてぞ今朝《けさ》は　別《わか》れゆく

卒業式

稲垣千穎訳詞《いながきちかいやくし》『蛍《ほたる》の光《ひかり》』より

読《よ》み書《か》き そろばん

昔《むかし》はこの三《みっ》つが大事《だいじ》な教養《きょうよう》だったのね

回《まわ》し読《よ》み

試《ため》し読《よ》み

ななめ読《よ》み

やまとうたは、人《ひと》の心《こころ》を種《たね》として、万《よろず》の言《こと》の葉《は》とぞなれりける。

『古今和歌集《こきんわかしゅう》』のはじめの紀貫之《きのつらゆき》の言葉《ことば》だね。
和歌《わか》をつくることは「詠《よ》む」っていうんだね

あー、この本《ほん》もう読《よ》み終《お》わっちゃった！
そんなに早《はや》く？ななめ読《よ》みじゃないの?!

さわる

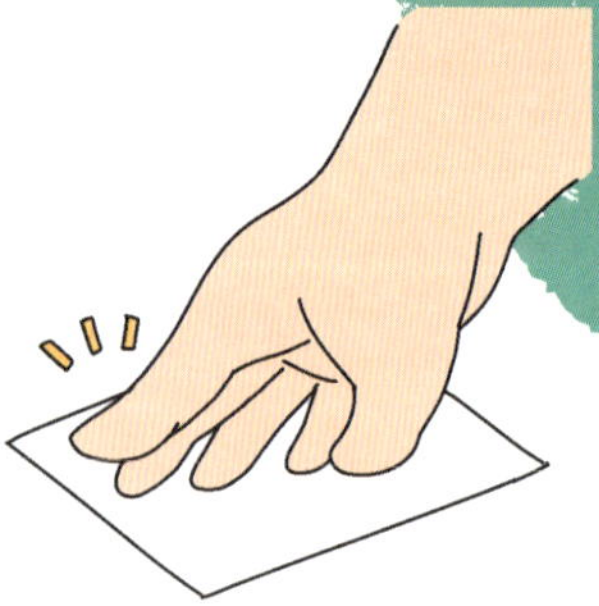

ベトベト

うわぁ〜っ！
手《て》についちゃったよー

ベトベトしたものは、
なかなか
取《と》れないわよね

ざらざら

さらさら

しっとり

ふんわり

ふんわりして
いい感《かん》じね！

ぬるぬる

ねばねば

パチパチ

ぼく、
納豆《なっとう》大好《だいす》き
なんだよねー

あっ、
静電気《せいでんき》だ！

ものの状態《じょうたい》や動作《どうさ》の感《かん》じを音《おと》で表《あらわ》す言葉《ことば》を「擬態語《ぎたいご》」というよ。日《に》本語《ほんご》にはたくさんの擬態語《ぎたいご》があるんだ。きみも、何《なに》かをさわってみたときに、自分《じぶん》だけの擬態語《ぎたいご》をつくってみよう！

びしょびしょ

雨《あめ》の中《なか》サッカーを
やったから
びしょびしょだよ

お兄《にい》ちゃん、転《ころ》んだでしょ。
どろどろよ

どろどろ

ぬくぬく

かさかさ

つるつる

おじいちゃんって、
つるつるだよね…

そういうこと
いわないのっ!

すべすべ

ひえひえ

あつあつ

住《す》む

安住《あんじゅう》

移住《いじゅう》

住所《じゅうしょ》

在住《ざいじゅう》

うだつが上《あ》がらない

（なかなか出世《しゅっせ》できない）

「うだつ」って、家《いえ》の屋根《やね》に取《と》りつける小《ちい》さい柱《はしら》のことなんだって

それが、おさえつけられているように見《み》えることから言葉《ことば》ができたんだね

縁《えん》の下《した》の力《ちから》持《も》ち

（かげで努力《どりょく》すること）

住職《じゅうしょく》

二階《にかい》から目薬《めぐすり》

（遠回《とおまわ》しすぎて効果《こうか》が出《で》ないこと）

居住地《きょじゅうち》

（住《す》んでいるところ）

住《す》まい

昔《むかし》はめったに引《ひ》っ越《こ》しなんてしないから、住《す》むことは生《い》きることと直結《ちょっけつ》していたんだね。だから、住《す》まいに関《かか》わる言葉《ことば》がたくさん生《う》まれたのかもしれないね。

敷居《しきい》が高《たか》い

(相手《あいて》に申《もう》し訳《わけ》ないことがあって、家《いえ》に行《い》きにくい)

職員室《しょくいんしつ》は、ぼくにとっては敷居《しきい》が高《たか》いよ
えっ、もしかして今日《きょう》もわすれものしたの?!

起《お》きて半畳《はんじょう》寝《ね》て一畳《いちじょう》

(ぜいたくはつつしむべきということ)

鰻《うなぎ》の寝床《ねどこ》

(間口《まぐち》がせまくて奥行《おくゆ》きが長《なが》い場所《ばしょ》)

住《す》めば都《みやこ》

(住《す》みなれればよく思《おも》えるということ)

やっぱり家《いえ》が一番《いちばん》だね！
そうね、毎日《まいにち》いるところだから愛着《あいちゃく》もわくわよね

郷《ごう》に入《い》っては郷《ごう》に従《したが》え

(その土地《とち》の習慣《しゅうかん》に従《したが》うべきということ)

終《つい》の住処《すみか》

(最後《さいご》に住《す》むところ)

向《む》こう三《さん》軒《げん》両《りょう》隣《どなり》

(いつも親《した》しくするご近所《きんじょ》さん)

水《みず》清《きよ》ければ魚《うお》棲《す》まず

(あまりに心《こころ》が清《きよ》いと、人《ひと》に親《した》しまれないということ)

謝《あやま》る

お恥《は》ずかしいかぎりです

不徳《ふとく》のいたすところ

申《もう》し開《ひら》きが立《た》たない

あわせる顔《かお》がない

あーっ！お兄《にい》ちゃん、わたしのお気《き》に入《い》りのコップ、割《わ》ったでしょ！
ううっ、つい手《て》がすべって…あわせる顔《かお》がないよ

ごめんなさい

すみません

申《もう》し訳《わけ》ありません

不徳のいたすところです

ごめんなさい…
こちらこそ

「すみません」は、謝《あやま》るとき以外《いがい》にも使《つか》うよね。本当《ほんとう》に悪《わる》かったという気持《きも》ちを伝《つた》えるためには、「わたくしの不徳《ふとく》のいたすところです」というふうに、謝《あやま》るときにだけ使《つか》う言葉《ことば》を選《えら》ぶといいよ。

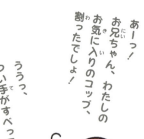

平《ひら》謝《あやま》り

（「平《ひら》に」はひたすらという意味《いみ》）

不《ふ》行《ゆ》き届《とど》き

（注意《ちゅうい》や配慮《はいりょ》が行《い》き届《とど》かないこと）

肝《きも》に銘《めい》ずる

（心《こころ》にしっかりきざみつける）

反《はん》省《せい》文《ぶん》

お兄《にい》ちゃん、さっきから何《なに》書《か》いてるの？

反省文《はんせいぶん》だよ。今日《きょう》も宿題《しゅくだい》わすれたからさ…

わたしのまちがいだった

わたしの　まちがいだった

こうして　草《くさ》にすわれば　それがわかる

八木重吉《やぎじゅうきち》の『草《くさ》にすわる』っていう詩《し》ね。重吉《じゅうきち》は結核《けっかく》で29歳《さい》のときに亡《な》くなったのよね。草《くさ》にすわって何《なに》を思《おも》ったのかしら…

ごめん
そうめん
ゆでたら
にゅうめん

国本武春《くにもとたけはる》作詞《さくし》
『たまげた駒下駄《こまげた》東下駄《あずまげた》』より

ごめーん

悲《かな》しい

泣《な》きぬれる

涙《なみだ》にむせぶ

袖《そで》をしぼる

ううっ…

涙《なみだ》を袖《そで》でふくから、袖《そで》がしぼれるくらい泣《な》くという意味《いみ》なのね

かなしみは　ちからに
欲《ほ》りは　いつくしみに
いかりは智慧《ちえ》に　みちびかるべし

宮沢賢治《みやざわけんじ》の手紙《てがみ》の中《なか》の言葉《ことば》ね。
なんだか勇気《ゆうき》がわいてくるわ！

胸《むね》がしめつけられる

胸《むね》がはりさける

悲嘆《ひたん》にくれる

（悲《かな》しみなげくこと）

悲《かな》しいという気持《きも》ちを表《あらわ》すのに、いろいろな表現《ひょうげん》があるんだよ。胸《むね》が「しめつけられる」のと「はりさける」のはちがう悲《かな》しみ。それが日本語《にほんご》の豊《ゆた》かさなんだね。

涙《なみだ》なくしては語《かた》れない

身《み》を切《き》られるような

「身《み》を切《き》られる」というのは、相当《そうとう》な悲《かな》しみだね…

汚《よご》れつ《っ》ちまつ《っ》た悲《かな》しみに
今日《きょう》も小雪《こゆき》の降《ふ》りかかる

中原中也《なかはらちゅうや》『汚《よご》れつ《っ》ちまつ《っ》た悲《かな》しみに……』より

東海《とうかい》の小島《こじま》の磯《いそ》の白砂《しらすな》に
われ泣《な》きぬれて
蟹《かに》とたはむる

石川啄木《いしかわたくぼく》

中原中也《なかはらちゅうや》の詩《し》ね。どうにもならない絶望感《ぜつぼうかん》が伝《つた》わってくるわ

山椒魚《さんしょううお》は悲《かな》しんだ。

井伏鱒二《いぶせますじ》『山椒魚《さんしょううお》』より

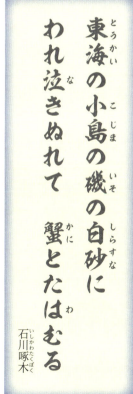

感《かん》謝《しゃ》する

おかげさま

痛《いた》み入《い》る

感涙《かんるい》にむせぶ (感激《かんげき》して涙《なみだ》を流《なが》す)

身《み》に余《あま》る　もったいない

親切《しんせつ》が骨身《ほねみ》にしみる

この間《あいだ》、なくしたっていってたノート、見《み》つかってよかったね！
そうなんだよ。見《み》つけた人《ひと》が届《とど》けてくれて、親切《しんせつ》が骨身《ほねみ》にしみるよ～

お引《ひ》き立《た》て

お引き立てくださりありがとうございます

お兄《にい》ちゃん、今年《ことし》は1回《かい》も風邪《かぜ》ひかなかったわね
健康《けんこう》に生《う》んでくれた親《おや》のおかげだよ！

「おかげさま」は、人《ひと》の親切《しんせつ》に感謝《かんしゃ》するときに使《つか》う言葉《ことば》。人《ひと》はみんなだれかの「おかげ」で生《い》きているんだ。「おかげさま」という気持《きも》ちを持《も》つのは大事《だいじ》なことだよ。

ありがたき幸《しあわ》せに存《ぞん》じます

感謝《かんしゃ》の念《ねん》に堪《た》えません

「感謝《かんしゃ》の念《ねん》に
堪《た》えません」って
かっこいいよね

「ありがとう」だけじゃなくて、
こういう言葉《ことば》も使《つか》えるように
なりたいわね！

恩《おん》に着《き》ます

「謝意《しゃい》」は、感謝《かんしゃ》するときにも
謝《あやま》るときにも使《つか》う言葉《ことば》だから、
前後《ぜんご》の言葉《ことば》で
意味《いみ》を判断《はんだん》するのね

謝意《しゃい》を表《ひょう》します

かさねがさね

お骨《ほね》折《お》りいただき

お気《き》持《も》ちだけいただきます

今日《きょう》は、お兄《にい》ちゃんが
宿題《しゅくだい》を見《み》てあげよう！

お、お気《き》持《も》ちだけ
いただきます…

怒《おこ》る

間《ま》尺《しゃく》にあわない

割《わり》にあわないっていう
意味《いみ》で、
「間尺《ましゃく》にあわないよ！」って
怒《おこ》るんだね

胸《むね》が悪《わる》い

（むかむかして気分《きぶん》が悪《わる》い）

虫《むし》が好《す》かない

癪《しゃく》にさわる

腹《はら》に据《す》えかねる

はらわたが煮《に》えくり返《かえ》る

腹《はら》が立《た》つ

怒《おこ》る言葉《ことば》って、
なんだか「腹《はら》」の
つく言葉《ことば》が多《おお》いね

頭《あたま》で怒《おこ》るよりも、
おなかの中《なか》で怒《いか》りが
こみ上《あ》げてるっていう
感《かん》じなのかも

怒《おこ》るときは「ムカつく」といってしまいがちだけど、それでは味気《あじけ》ないよね。怒《いか》りの程度《ていど》によって言葉《ことば》を選《えら》ぶことができれば、豊《ゆた》かな表現力《ひょうげんりょく》が身《み》につくよ！

おかんむり

虫《むし》の居所《いどころ》が悪《わる》い

さっき、お母《かあ》さんがプンプンしてたなあ。なんか虫《むし》の居所《いどころ》が悪《わる》いのかなあ
お兄《にい》ちゃんが家《いえ》の手伝《てつだ》いしないでゲームばっかりやってるからでしょ、もう！
はぁ

はしたない

お門《かど》違《ちが》い

（目指《めざ》すべきものから外《はず》れていること）

横《よこ》紙《がみ》破《やぶ》り

（自分《じぶん》の意見《いけん》などをむりに押《お》し通《とお》すこと）

口《くち》が過《す》ぎる

激怒《げきど》

激昂《げっこう》

憤慨《ふんがい》

憤怒《ふんぬ》

立腹《りっぷく》

どうして「横紙破《よこがみやぶ》り」っていうのかなあ
和紙《わし》のすき目《め》は縦《たて》になっているから、横《よこ》にはなかなか破《やぶ》けないんだって。そこからむりに押《お》し通《とお》すっていう意味《いみ》になったみたい

恋《こい》

恋心《こいごころ》

初恋《はつこい》

忍《しの》ぶ恋《こい》

恋敵《こいがたき》

恋人《こいびと》

悲恋《ひれん》

片《かた》思《おも》い

両《りょう》思《おも》い

両思《りょうおも》いっていいよねー
お兄《にい》ちゃん、いつも片思《かたおも》いばっかりじゃないの？

百人一首《ひゃくにんいっしゅ》の世界《せかい》では、「忍《しの》ぶ恋《こい》」がよくテーマになっているよ。好《す》きになってはいけない人《ひと》や、ふり向《む》いてくれない人《ひと》を好《す》きになる……。そんな恋《こい》の切《せつ》なさが、美《うつく》しい歌《うた》の源《みなもと》になっているんだね。

いのち短《みじか》し、戀《こい》せよ、少女《おとめ》、
朱《あか》き唇《くちびる》、褪《あ》せぬ間《ま》に、
熱《あつ》き血液《ちしお》の冷《ひ》えぬ間《ま》に、
明日《あす》の月日《つきひ》のないものを。

吉井勇作詞《よしいいさむさくし》『ゴンドラの唄《うた》』より

『ゴンドラの唄《うた》』だね。歌詞《かし》が七《しち》・七《しち》・七《しち》・五文字《ごもじ》の七五調《しちごちょう》になってる！

まだあげ初《そ》めし前髪《まえがみ》の
林檎《りんご》のもとに見《み》えしとき
前《まえ》にさしたる花櫛《はなぐし》の
花《はな》ある君《きみ》と思《おも》ひけり

島崎藤村《しまざきとうそん》の『初恋《はつこい》』っていう詩《し》だね

昔《むかし》の女性《じょせい》は大人《おとな》になると前髪《まえがみ》を上《あ》げて結《ゆ》っていたから、前髪《まえがみ》を上《あ》げたばかりの「君《きみ》」は少女《しょうじょ》なのね

恋《こい》のさや当《あ》て

（恋敵同士《こいがたきどうし》が争《あらそ》うこと）

恋《こい》わずらい

（恋《こい》するあまり病気《びょうき》のようになること）

恋《こ》い焦《こ》がれる

一《いち》日《じつ》千《せん》秋《しゅう》

好《す》きな人《ひと》がたずねてくるのが待《ま》ち遠《どお》しいときに使《つか》う言葉《ことば》ね！

愛《あい》する

現《うつつ》を抜《ぬ》かす

熱《ねつ》を上《あ》げる

(魅力《みりょく》に夢中《むちゅう》になる)

燃《も》え焦《こ》がる

慕《した》う

焦《こ》がれる

「慕《した》う」には、恋《こい》しく思《おも》うとか、会《あ》いたいという意味《いみ》もあるのね。ロマンチックな言葉《ことば》だわ

紫式部《むらさきしきぶ》の『源氏物語《げんじものがたり》』の冒頭《ぼうとう》ね。身分《みぶん》は高《たか》くないけれど、帝《みかど》にとても愛《あい》されていたっていうのが、光源氏《ひかるげんじ》のお母《かあ》さんよね

光源氏《ひかるげんじ》ってかっこいいんだよね。ぼくみたいに?!

いづ《ず》れの御時《おおんとき》にか、女御《にょうご》、更衣《こうい》あまたさぶらひ《い》たまひ《い》ける中《なか》に、いとやむ《ん》ごとなき際《きわ》にはあらぬが、すぐれて時《とき》めきたまふ《う》ありけり。

(どなたの時代《じだい》であったか、女御《にょうご》や更衣《こうい》がたくさんお仕《つか》えしていた中《なか》に、それほど高《たか》い身分《みぶん》ではないけれど、とても帝《みかど》から愛《あい》されている方《かた》がいた)

「愛《あい》する」にもいろいろな表現《ひょうげん》があるよね。小林一茶《こばやしいっさ》の「我《われ》と来《き》て遊《あそ》べや親《おや》のない雀《すずめ》」という句《く》には、小《ちい》さい雀《すずめ》にも心《こころ》をよせる一茶《いっさ》の愛《あい》が表《あらわ》れているよ。

郷土愛《きょうどあい》

相思相愛《そうしそうあい》

慈愛《じあい》

愛敬《あいきょう》

愛想《あいそ》

割愛《かつあい》

「割愛《かつあい》」って、おしいと思《おも》うものを思《おも》い切《き》って手放《てばな》すっていう意味《いみ》なんだ！

その「おしい」っていう気持《きも》ちから「愛《あい》」って字《じ》が入《はい》っているのね

愛読書《あいどくしょ》

愛蘭《アイルランド》

（アイルランドの漢字表記《かんじひょうき》）

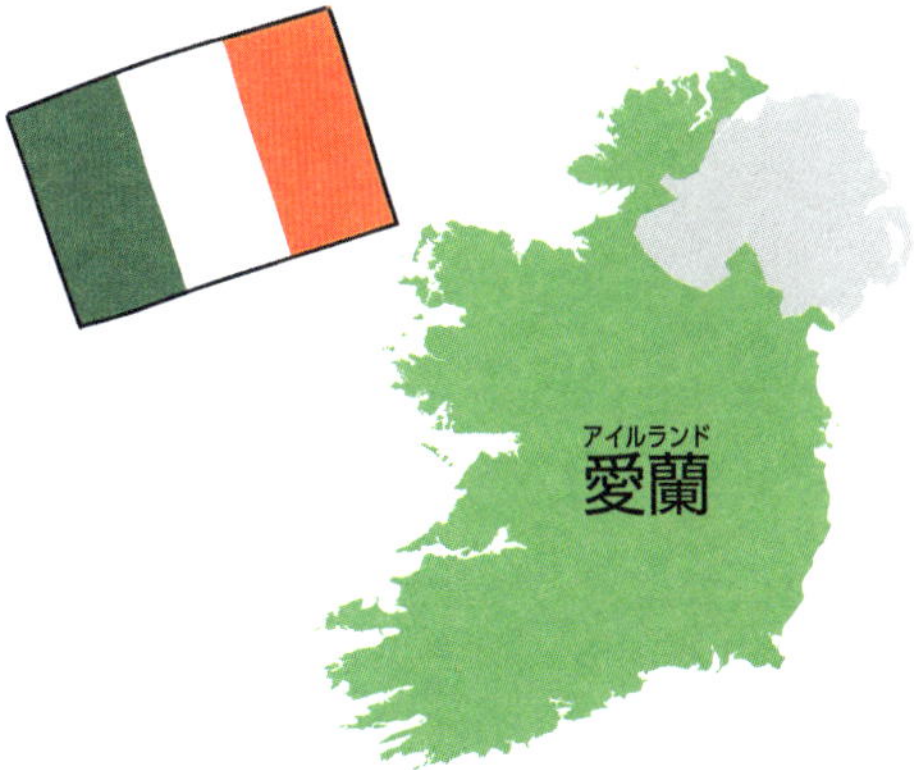

動物愛護《どうぶつあいご》

ぼく、動物大好《どうぶつだいす》き！犬《いぬ》も猫《ねこ》も鳥《とり》も、飼《か》ってみたいなあ。かわいいだろうなあ

飼《か》うならちゃんと責任《せきにん》を持《も》たないとね。動物《どうぶつ》たちに幸《しあわ》せになってほしいものね

ふるさと

田舎《いなか》
郷里《きょうり》
母国《ぼこく》
祖国《そこく》

故郷《こきょう》へ錦《にしき》を飾《かざ》る

りっぱになって
ふるさとに帰《かえ》る
という意味《いみ》ね

ぼくみたいに、
もともとりっぱな人《ひと》は
どうすればいいのかな。
へへへっ

兎《うさぎ》追《お》いしかの山《やま》
小鮒《こぶな》釣《つ》りしかの川《かわ》
夢《ゆめ》は今《いま》もめぐりて
忘《わす》れがたき故郷《ふるさと》

高野辰之《たかのたつゆき》作詞《さくし》『故郷《ふるさと》』より

ふるさとの山《やま》に向《む》かひて
言《い》ふことなし
ふるさとの山《やま》はありがたきかな

石川啄木《いしかわたくぼく》

ふるさとの訛《なまり》なつかし
停車場《ていしゃば》の人《ひと》ごみの中《なか》に
そを聴《き》きにゆく

石川啄木《いしかわたくぼく》

停車場《ていしゃば》って駅《えき》のことだね

上野駅《うえのえき》には各地《かくち》の人《ひと》が集《あつ》まるから、ふるさとの言葉《ことば》を聞《き》きに行《い》ったのね

お国《くに》訛《なま》り

（ふるさとの言葉《ことば》のなまり）

出《しゅっ》身《しん》地《ち》

ふるさと納《のう》税《ぜい》

いいなあ、その土地《とち》のおいしいものが食《た》べられるかも？

ふるさとは遠《とお》きにありて思《おも》ふもの
そして悲《かな》しくうたふもの

室生犀星《むろうさいせい》

都会《とかい》に出《で》ると、ふるさとをなつかしく思《おも》うものなんだね。でも、ふるさとでつらい思《おも》いをした人《ひと》にとっては、悲《かな》しいものなのかな。

あいさつ

御免《ごめん》ください

御機嫌《ごきげん》よう

さようなら

失礼《しつれい》します

おいとまいたします

本日《ほんじつ》は
お日柄《ひがら》もよく

つつがなく（無事《ぶじ》に）
終《お》えました

ごきげんよう
ごきげんよう

お粗末《そまつ》さまでした

「ごちそうさま」って いったら、お母《かあ》さんが 「お粗末《そまつ》さま」って いうんだよ
それは、食《た》べてくれた 人《ひと》に対《たい》して謙遜《けんそん》の意味《いみ》で いっているのよ

「さようなら」はもともと「左様《さよう》ならば」。「そのようならば（＝それならば）」という意味《いみ》で、別《わか》れのあいさつに使《つか》われたんだよ。

いただき立《だ》ちですが

(ごちそうになってすぐに帰《かえ》るときにいう)

お持《も》たせですが

(いただいたお土産《みやげ》をその人《ひと》に出《だ》すときにいう)

よしなに

(よろしく)

心《こころ》置《お》きなく

(遠慮《えんりょ》せずに)

よしなにお取《と》り計《はか》らいください
今日《きょう》はお兄《にい》ちゃんがカレーをつくるよ！

招待《しょうたい》されたとき

このたびはおまねきにあずかり、
ありがとうございます。

ものをもらったとき

このたびは過分《かぶん》なものをちょうだいしまして、ありがとうございます。

お通夜《つや》・お葬式《そうしき》のとき

このたびはご愁傷様《しゅうしょうさま》でした。お力落《ちからお》としなさいませんように。

手《て》紙《がみ》

頭語《とうご》
結語《けつご》

拝啓《はいけい》 → 敬具《けいぐ》 など

謹啓《きんけい》 → 敬白《けいはく》 など

前略《ぜんりゃく》 → 草々《そうそう》 など

手紙《てがみ》の最初《さいしょ》に書《か》くのが「頭語《とうご》」、最後《さいご》に書《か》くのが「結語《けつご》」っていうのよ
なるほど！ 頭語《とうご》と結語《けつご》は組《く》みあわせが決《き》まっているんだね

一筆啓上《いっぴつけいじょう》 → かしこ

ご無沙汰《ぶさた》しております

いかがお過《す》ごしでしょうか

みなさまお変《か》わりありませんか

ご自愛《じあい》ください
(お体《からだ》を大切《たいせつ》にしてください)

手紙《てがみ》で使《つか》う言葉《ことば》は、話《はな》し言葉《ことば》とはちょっとちがうね。季節《きせつ》のあいさつや、相手《あいて》を思《おも》いやる言葉《ことば》など、決《き》まったいい回《まわ》しがあるから覚《おぼ》えておこう。大人《おとな》になっても役《やく》に立《た》つよ！

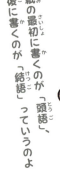

謹《つつし》んで、新年《しんねん》のお慶《よろこ》びを
申《もう》し上《あ》げます。

水温《みずぬる》む季節《きせつ》となりました。

青葉《あおば》が目《め》にまぶしい
季節《きせつ》となりました。

朝夕《あさゆう》はめっきり
涼《すず》しくなりました。

今年《ことし》もいよいよ押《お》し迫《せま》りました。

季節《きせつ》ごとに、
あいさつ言葉《ことば》がちがうのね。
今度《こんど》、手紙《てがみ》を書《か》くときに
使《つか》おうっと

春《はる》は「水温《みずぬる》む季節《きせつ》」って
いうんだね。
たしかに、池《いけ》の水《みず》も
少《すこ》しぬるくなるよね！

職《しょく》人《にん》言《こと》葉《ば》

年《ねん》季《き》（期間《きかん》を決《き》めて住《す》みこみで働《はたら》くこと）

丁《でっ》稚《ち》（商人《しょうにん》や職人《しょくにん》の家《いえ》で使《つか》い走《はし》りをする少年《しょうねん》）

匠《たくみ》

秘《ひ》伝《でん》

このうなぎおいしい!!

匠《たくみ》って職人《しょくにん》さんのことをいうんだね
そうよ。ひとつのことをつらぬくって、かっこいい！

職《しょく》人《にん》気《かた》質《ぎ》（職人《しょくにん》に特有《とくゆう》の気質《きしつ》）

職《しょく》人《にん》芸《げい》

職《しょく》人《にん》技《わざ》

お釈《しゃ》迦《か》になる
（つくるときに失敗《しっぱい》したり、壊《こわ》れたりして使《つか》いものにならなくなること）

めっきがはげる
（隠《かく》しきれず、本性《ほんしょう》があらわれること）

つぶしがきく
（ほかの職業《しょくぎょう》についてもやっていける）

とんちんかん
（ちぐはぐな言動《げんどう》をする人《ひと》）

「お釈迦《しゃか》になる」は、鋳物《いもの》の職人《しょくにん》さんが阿弥陀様《あみださま》を鋳《い》るはずが、まちがってお釈迦様《しゃかさま》を鋳《い》たことからできた言葉《ことば》ね

へえ～、お釈迦様《しゃかさま》っていうから、神様《かみさま》になることかと思《おも》っちゃった！

昔《むかし》、職人《しょくにん》さんが使《つか》っていた言葉《ことば》の中《なか》には、一般的《いっぱんてき》に使《つか》われるようになった言葉《ことば》もたくさんあるよ。イキのいい言葉《ことば》だから、どんどん使《つか》ってみよう！

腕《うで》利《き》き
（すぐれた技能《ぎのう》があること）

油《あぶら》を売《う》る
（むだ話《ばなし》で時間《じかん》をつぶすこと）

打《う》ってつけ
（条件《じょうけん》にぴったりあうこと）

おつかいをたのまれて スーパーに行《い》ったんだけど、友《とも》だちに会《あ》って 話《はな》しこんじゃったわ

油《あぶら》を売《う》ってたんだね。買《か》いものに行《い》ったのに…

他人《たにん》の飯《めし》を食《く》う
（親元《おやもと》をはなれて、他人《たにん》の家《いえ》で経験《けいけん》を積《つ》むこと）

暖簾《のれん》分《わ》け
（長《なが》くつとめた店員《てんいん》に、独立《どくりつ》して店《みせ》を出《だ》させること）

下駄《げた》をはかせる
（実際《じっさい》よりねだんを高《たか》く見《み》せたり、多《おお》く見《み》せたりすること）

地団駄《じだんだ》をふむ
（怒《おこ》ったりくやしがったりしながら足《あし》をふみ鳴《な》らすこと）

うー、くやしい！ 給食《きゅうしょく》のおかわりができなかった！

それで地団駄《じだんだ》ふんでるのね

釘《くぎ》をさす
（いいのがれしないように念《ねん》を押《お》すこと）

つけ焼《や》き刃《ば》
（間《ま》にあわせに覚《おぼ》えた知識《ちしき》や技術《ぎじゅつ》）

武《ぶ》士《し》の言《こと》葉《ば》

助《すけ》太《だ》刀《ち》いたす

（協力《きょうりょく》しよう）

武《ぶ》士《し》に二《に》言《ごん》はない

そっかあ、武《ぶ》士《し》は一度《いちど》いったことは必《かなら》ず守《まも》るんだね

…お兄《にい》ちゃんは武《ぶ》士《し》になれそうもないわね

武《ぶ》士《し》は食《く》わねど高《たか》楊《よう》枝《じ》

（やせがまんすること）

拙《せっ》者《しゃ》　それがし

（武《ぶ》士《し》の時《じ》代《だい》は、どちらも自《じ》分《ぶん》のこと）

大《たい》儀《ぎ》であった

（目下《めした》の者《もの》をねぎらうときにいう）

ここに書《か》いてある言葉《ことば》は、時代劇《じだいげき》でよく聞《き》くんじゃないかな。今《いま》でも使《つか》う言葉《ことば》もあるね。友《とも》だち同士《どうし》で、「かたじけない！」とか「拙者《せっしゃ》はおなかが空《す》いた！」なんていったらおもしろいよ。

良《よ》きに計《はか》らえ（うまくやっておいて）

かたじけない（ありがたい）

面《めん》目《ぼく》ない（恥《は》ずかしくてあわせる顔《かお》がない）

ううっ、面目《めんぼく》ない…
お兄《にい》ちゃん、トイレのドアが開《あ》けっぱなしだったからしめといたわよ

いざ！

遠足だー

不《ふ》届《とど》き者《もの》（道理《どうり》や法《ほう》にそむく者《もの》）

金《きん》子《す》（お金《かね》）

おしのび（身分《みぶん》の高《たか》い人《ひと》がこっそり外出《がいしゅつ》すること）

そー…

ちょこざいな！（なまいきな）

御《ぎょ》意《い》！（おっしゃる通《とお》りに）

アイヌの言葉《ことば》

カムイ　神様《かみさま》

ヌプリ　山《やま》

ノチウ　星《ほし》

ノンノ　花《はな》

コタン　村《むら》

イタㇰ　話《はな》す、言葉《ことば》

イヌ　聞《き》く

イオマンテ　クマまつり

コロボックル　ふきの葉《は》の下《した》の人《ひと》

イランカラプテ　こんにちは

ヒンナ　いただきます、ごちそうさま

イペ　食事《しょくじ》、食事《しょくじ》をする

さっき、カレーのにおいがしたわよ！
今日《きょう》のイペは何《なに》かなあ？

アイヌ語《ご》は、北海道《ほっかいどう》などに住《す》んでいたアイヌという民族《みんぞく》の言葉《ことば》。神々《かみがみ》が主人公《しゅじんこう》として語《かた》られるのが「アイヌ神謡《しんよう》」だよ。文字《もじ》ではなく口伝《くちづた》えで、ずっと歌《うた》い継《つ》がれてきたんだ。アイヌ語《ご》は、話《はな》せる人《ひと》が少《すく》なくなっているから、日本《にほん》の言葉《ことば》として大切《たいせつ》に残《のこ》したいね。

ラウシ（けものの骨《ほね》のあるところ）→羅臼《らうす》

イシカラペツ（非常《ひじょう》に曲《ま》がった川《かわ》）→石狩《いしかり》

エリモン（エンルム）（うずくまったネズミの形《かたち》）→襟裳《えりも》

オシャマンベ（カレイのいるところ）→長万部《おしゃまんべ》

サットポロ（かわいた広大《こうだい》な土地《とち》）→札幌《さっぽろ》

トーマコマナイ（沼《ぬま》の後《うし》ろにある川《かわ》）→苫小牧《とまこまい》

北海道《ほっかいどう》には多《おお》いのね！
札幌《さっぽろ》の「ポロ」っていう音《おと》、かわいいわよね！
アイヌ語《ご》が今《いま》も土地《とち》の名前《なまえ》として使《つか》われているんだね

『銀《ぎん》の滴《しずく》～ピㇼカチカッポ～』

ピㇼカ　チカッポ　ピㇼカ　チカッポ…
（美《うつく》しい鳥《とり》、美《うつく》しい鳥《とり》…）
カムイ　チカッポ　カムイ　チカッポ…
（神様《かみさま》の鳥《とり》、神様《かみさま》の鳥《とり》…）

ピㇼカ　チカッポ　ピシカン　ピシカン　ピシカン
（美《うつく》しい鳥《とり》、まわりに、まわりに、まわりに）
カムイ　チカッポ　ピシカン　ピシカン　ピシカン
（神様《かみさま》の鳥《とり》、まわりに、まわりに、まわりに）
ピㇼカ　チカッポ　ピシカン　ピシカン　ピシカン
カムイ　チカッポ　ピシカン　ピシカン　ピシカン

見《み》よ　神《かみ》の鳥《とり》、美《うつく》しい鳥《とり》
遥《はる》か世《よ》の命守《いのちまも》る
ピㇼカ　チカッポ　ピㇼカ　チカッポ…
カムイ　チカッポ　カムイ　チカッポ…

銀《ぎん》の滴《しずく》　降《ふ》る降《ふ》るまわりに
金《きん》の滴《しずく》　降《ふ》る降《ふ》るまわりに

知里幸惠《ちりゆきえ》作詞《さくし》・おおたか静流《しずるほし》補詞『銀《ぎん》の滴《しずく》～ピㇼカチカッポ～』より

生《い》きものはみんな神様《かみさま》として大切《たいせつ》にされていたんだね
この歌《うた》は、ふくろうの神様《かみさま》が歌《うた》った歌《うた》なんだって！

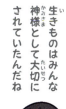

美《うつく》しさ

えも言《い》われぬ美《うつく》しさ

目《め》もあや

見《み》目《め》好《よ》し

見《み》目《め》麗《うるわ》しい

なよやか

たおやか

物腰《ものごし》がしっとりとしている様子《ようす》が「たおやか」か。うちの妹《いもうと》とはぜんぜんちがう…
お兄《にい》ちゃん、何《なに》かいった?!

映《は》える

まばゆい

美《うつく》しい人《ひと》って、光《ひか》りかがやいているように見《み》えるのね

「えも言《い》われぬ」は「言葉《ことば》にできないくらいすばらしい」という意味《いみ》で、「えも言《い》われぬ美《うつく》しさ」という使《つか》い方《かた》をするよ。

うつくしや　しゃ《ょ》うじの穴《あな》の　天《あま》の川《がわ》

小林一茶《こばやしいっさ》

見《み》返《かえ》り美《び》人《じん》

美《び》徳《とく》

雪《ゆき》を欺《あざむ》く

雪《ゆき》に負《ま》けないくらい色《いろ》の白《しろ》いことをいうんだね。「色《いろ》の白《しろ》いは七難隠《しちなんかく》す」っていうもんね

小野小町《おののこまち》の和歌《わか》ね。年齢《ねんれい》を重《かさ》ねておとろえる見《み》た目《め》をなげいているのよね…

鈴《すず》を転《ころ》がすよう

花《はな》の色《いろ》は　移《うつ》りにけりな　いたづ《ず》らに
わが身《み》世《よ》にふる　ながめせし間《ま》に

青《あお》は藍《あい》より出《い》でて 藍《あい》より青《あお》し

これって、弟子《でし》が先生《せんせい》よりすごいってこと?

そうね、テニスの錦織選手《にしこりせんしゅ》みたいな人《ひと》のことよね

青息吐息《あおいきといき》

青天井《あおてんじょう》

青二才《あおにさい》

赤飯《せきはん》

赤子《あかご》

赤面《せきめん》

赤の他人《あかのたにん》

赤っ恥《あかっぱじ》

わあー、赤《あか》ちゃんかわいいわねー

ぼくたちも、こんなときがあったんだね

色《いろ》を使《つか》った言葉《ことば》はたくさんあるね。「緑《みどり》の黒髪《くろかみ》」というときの「緑《みどり》」はグリーンではなく黒《くろ》だよ。「白《しろ》」は「潔白《けっぱく》」や「純白《じゅんぱく》」、「明白《めいはく》」などに使《つか》われるね。

卵《たまご》の黄身《きみ》

黄《き》な粉《こ》

浅黄色《あさぎいろ》

黄金《おうごん》

黄色《きいろ》い声《こえ》

キャー
キャー

ぼくは黄身《きみ》が好《す》きなんだよねー
わたしは白身《しろみ》。お兄《にい》ちゃん、交換《こうかん》しようよ！

お色《いろ》直《なお》し

色《いろ》眼《め》鏡《がね》

人《ひと》を色眼鏡《いろめがね》で見《み》るのはよくないわよねー

色《いろ》めき立《た》つ

（緊張《きんちょう》した様子《ようす》が表《あらわ》れる）

色《いろ》を失《うしな》う（おどろきや恐怖《きょうふ》で顔《かお》が青《あお》ざめる）

色《いろ》気《け》

静《しず》か

安静《あんせい》

閑静《かんせい》

静寂《せいじゃく》

静脈《じょうみゃく》

静謐《せいひつ》

静止画《せいしが》

静電気《せいでんき》

冷《れい》静《せい》沈《ちん》着《ちゃく》

水《みず》を打《う》ったよう

嵐《あらし》の前《まえ》の静《しず》けさ

なんだか今日《きょう》は
みょうに静《しず》かで、
気持《きも》ちが落《お》ち着《つ》かないわ

嵐《あらし》の前《まえ》の
静《しず》けさってことかな。
う〜っ、こわい！

夜《よる》のしじま

冬《ふゆ》になると、ドアノブを
さわるときにバチッと
静電気《せいでんき》が流《なが》れるよね

そうそう、
あれが痛《いた》いのよね

ひっそりとして
静《しず》かっていう
意味《いみ》なんだね

「静《しず》か」という言葉《ことば》には、音《おと》がない様子《ようす》という意味《いみ》と、心《こころ》が落《お》ち着《つ》いているという意味《いみ》があるんだよ。

久方《ひさかた》の　光《ひかり》のどけき　春《はる》の日《ひ》に
しづ《ず》ごころなく　花《はな》の散《ち》るらむ《ん》

百人一首《ひゃくにんいっしゅ》にある
紀友則《きのとものり》の和歌《わか》だね

のどかな春《はる》の日《ひ》にどうして
落《お》ち着《つ》きなく桜《さくら》の花《はな》は
散《ち》ってしまうのだろう、
という意味《いみ》ね

しずかな湖畔《こはん》の　森《もり》のかげから
もう起《お》きちゃいかがと　かっこうが鳴《な》く
カッコウ　カッコウ
カッコウ　カッコウ　カッコウ

山北多喜彦《やまきたたきひこ》作詞《さくし》『静《しず》かな湖畔《こはん》の』より
(©東京《とうきょう》YMCA)

古池《ふるいけ》や　蛙《かわず》飛《とび》こむ　水《みず》のおと

松尾芭蕉《まつおばしょう》の俳句《はいく》だね。
カエルが水《みず》に飛《と》びこむ音《おと》が
聞《き》こえるくらい、
まわりが静《しず》かだって
ことなんだ！

閑《しずか》さや　岩《いわ》にしみ入《いる》　蟬《せみ》の声《こえ》

これも芭蕉《ばしょう》ね。
蟬《せみ》の声《こえ》が岩《いわ》にスーッと
吸《す》いこまれていく
ような感《かん》じかな

歌舞伎《かぶき》

おかずがいっぱい！

幕《まく》の内《うち》弁当《べんとう》

（舞台《ぶたい》の幕《まく》がしまっている間《あいだ》に食《た》べる、おかずをつめあわせた弁当《べんとう》）

裏方《うらかた》

どんでん返《がえ》し

（物事《ものごと》が逆転《ぎゃくてん》すること）

花道《はなみち》

（はなやかに活躍《かつやく》したり、おしまれて引退《いんたい》したりすること）

黒幕《くろまく》

（かげで指図《さしず》する人《ひと》）

奈落《ならく》

（舞台《ぶたい》のゆか下《した》のことから、どん底《ぞこ》の意味《いみ》）

修羅場《しゅらば》

（はげしい争《あらそ》いの場面《ばめん》）

二枚目《にまいめ》

三枚目《さんまいめ》

正念場《しょうねんば》

どう？　ぼく二枚目《にまいめ》かな
うーん。どう見《み》ても三枚目《さんまいめ》ね

「正念場《しょうねんば》」は、歌舞伎《かぶき》の見《み》せ場《ば》のこと。それが「もっとも肝心《かんじん》なところ」という意味《いみ》になったんだね。

捨《す》てぜりふ

めりはり

もともとは「める」と「はる」で、ゆるむことと、はることという意味《いみ》なのね

だんまり

とちる

緊張《きんちょう》すると、いつもとちっちゃうんだよねー

お兄《にい》ちゃん、リラックスよ！

十八番《おはこ》

（もっとも得意《とくい》とする芸《げい》や技《わざ》）

知《し》らざあ言《い》って聞《き》かせやしょう。
浜《はま》の真砂《まさご》と五右衛門《ごえもん》が
歌《うた》に残《のこ》せし盗人《ぬすっと》の
種《たね》は尽《つ》きねえ七里《しちり》が浜《はま》、
その白浪《しらなみ》の夜働《よばたら》き

河竹黙阿弥《かわたけもくあみ》『弁天娘女男白浪《べんてんむすめめおのしらなみ》』より

絶景《ぜっけい》かな
絶景《ぜっけい》かな
春《はる》の眺《なが》めは
価千金《あたいせんきん》とは
小《ちい》せえ小《ちい》せえ。

初代《しょだい》・並木五瓶《なみきごへい》『楼門五三桐《さんもんごさんのきり》』より

翼《つばさ》がほしい
羽根《はね》がほしい
飛《と》んで行《ゆ》きたい
知《し》らせたい

近松半二《ちかまつはんじ》ほか『本朝廿四孝《ほんちょうにじゅうしこう》』

旅《たび》

うわー 入らないよー
おやつ
よいしょ

旅支度《たびじたく》

旅路《たびじ》

船旅《ふなたび》

ガイド MAP

旅程《りょてい》

旅情《りょじょう》

新婚旅行《しんこんりょこう》

長旅《ながたび》

新婚旅行《しんこんりょこう》のことは「ハネムーン」っていうね！

かわいい子《こ》には旅《たび》をさせよ

(子《こ》どもの成長《せいちょう》のためには苦労《くろう》させた方《ほう》がいい)

つらいことを経験《けいけん》して、強《つよ》くたくましくなれっていう親《おや》の願《ねが》いなのよ

苦労《くろう》はしたくないなあ…

旅《たび》の恥《はじ》はかき捨《す》て

(旅先《たびさき》では恥《は》ずかしいこともできてしまう)

旅《たび》は道連《みちづ》れ、世《よ》は情《なさ》け

(旅《たび》には連《つ》れがいた方《ほう》がいいし、人生《じんせい》には人情《にんじょう》が大切《たいせつ》)

昔《むかし》の人《ひと》たちは、どこに行《い》くにも歩《ある》きだったんだ。だから旅《たび》は一大事《いちだいじ》だったんだね。交通《こうつう》が整備《せいび》されて移動《いどう》が活発《かっぱつ》になったことで、産業《さんぎょう》も発達《はったつ》したんだよ。

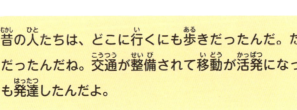

このたびは　幣《ぬさ》もとりあへ《え》ず　手向山《たむけやま》
紅葉《もみじ》の錦《にしき》　神《かみ》のまにまに

菅家《かんけ》

（急《きゅう》な旅《たび》なので、神様《かみさま》へのささげものがありません。代《か》わりに、美《うつく》しい紅葉《もみじ》を受《う》け取《と》ってください）

南船北馬《なんせんほくば》

（あちこち旅行《りょこう》すること）

旅《たび》の空《そら》

旅先《たびさき》でながめる空《そら》という意味《いみ》から、心細《こころぼそ》い様子《ようす》を表《あらわ》す言葉《ことば》になったんだって！

さすがノーベル賞《しょう》！

川端康成《かわばたやすなり》の『雪国《ゆきぐに》』の冒頭《ぼうとう》ね。情景《じょうけい》がうかぶわぁ〜

国境《くにざかい》の長《なが》いトンネルを
抜《ぬ》けると雪国《ゆきぐに》であった。
夜《よる》の底《そこ》が白《しろ》くなった。

月日《つきひ》は百代《はくたい》の過客《かかく》にして、
行《ゆ》きかふ《う》年《とし》も又旅人《またたびびと》也《なり》

松尾芭蕉《まつおばしょう》『おくのほそ道《みち》』より

（月日《つきひ》は永遠《えいえん》の旅人《たびびと》で、すぎゆく年《とし》も旅人《たびびと》のようなものだ）

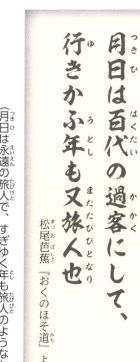

コラム

対《つい》になる漢字《かんじ》から生《う》まれる熟語《じゅくご》

明《めい》確《かく》

明《めい》治《じ》

明《めい》細《さい》
（細《こま》かいところまではっきりくわしいこと）

明《めい》快《かい》

明《めい》言《げん》

明《めい》示《じ》

明《めい》白《はく》

明《めい》瞭《りょう》
（はっきりわかること）

明

暗

暗《あん》黒《こく》

暗《あん》号《ごう》

暗《あん》記《き》

暗《あん》黙《もく》

暗《あん》算《ざん》

暗《あん》唱《しょう》

暗《あん》室《しつ》

暗《あん》雲《うん》

同《どう》意《い》

同《どう》時《じ》

同《どう》様《よう》

同《どう》士《し》

同《どう》僚《りょう》

（同《おな》じ職場《しょくば》で働《はたら》く人《ひと》）

同《どう》期《き》

（同《おな》じ時期《じき》や、入学《にゅうがく》・卒業年度《そつぎょうねんど》が同《おな》じこと）

同《どう》行《こう》

同《どう》等《とう》

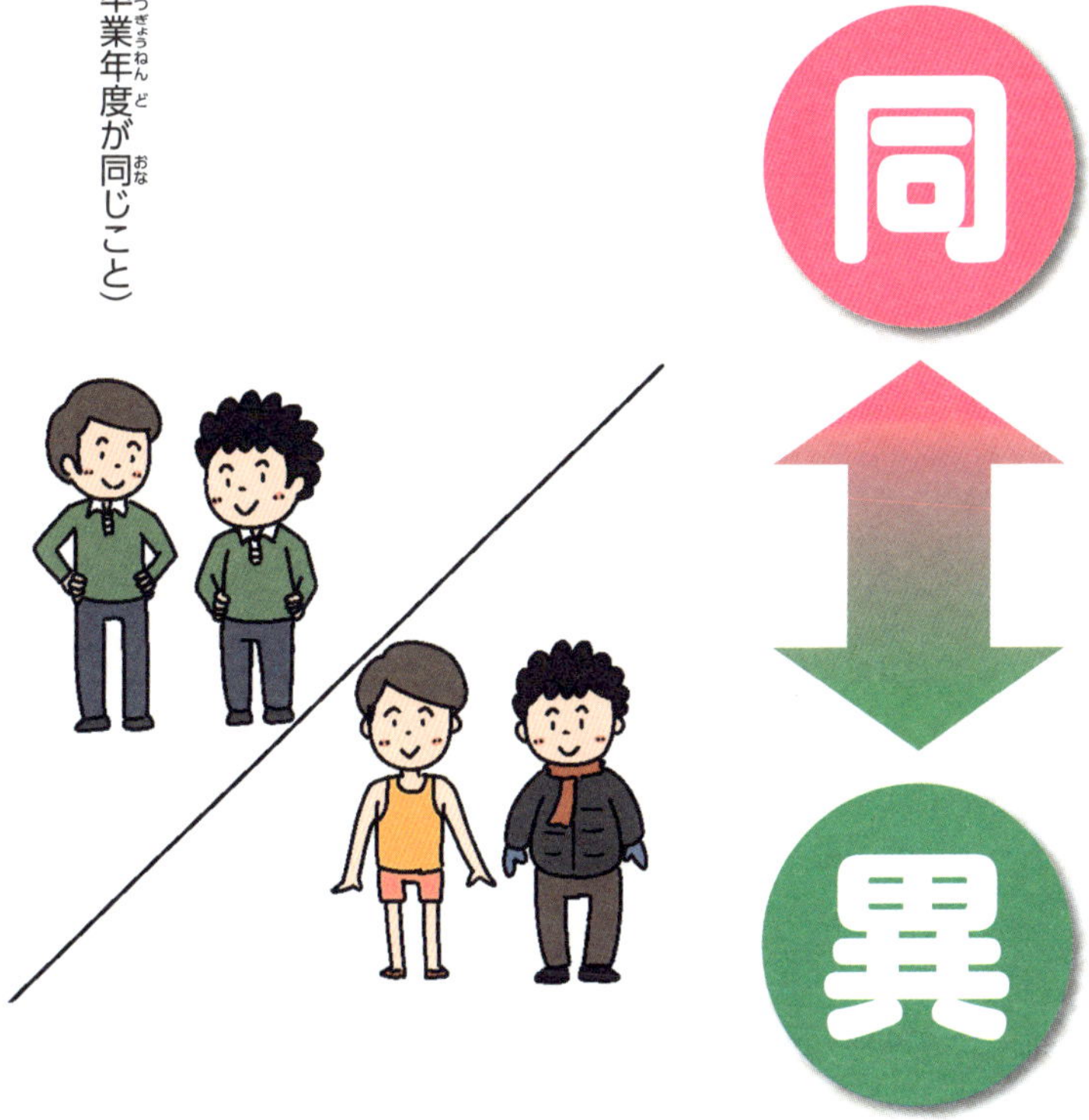

異《い》論《ろん》

（ちがう意見《いけん》）

異《い》動《どう》

（つとめ先《さき》などが変《か》わること）

異《い》変《へん》

特《とく》異《い》

（ほかとちがっている様子《ようす》）

異《い》性《せい》

異《い》国《こく》

（外国《がいこく》）

異《い》色《しょく》

（ちがう色《いろ》。変《か》わっていて目立《めだ》つこと）

奇《き》異《い》

（不思議《ふしぎ》で変《か》わっていること）

熱《ねつ》帯《たい》

熱《ねつ》気《き》

熱《ねつ》心《しん》

熱《ねつ》湯《とう》

熱《ねつ》狂《きょう》

熱《ねつ》唱《しょう》

熱《ねつ》中《ちゅう》

熱《ねつ》戦《せん》

熱

↕

冷

冷《れい》房《ぼう》

冷《れい》蔵《ぞう》

冷《れい》凍《とう》

冷《れい》徹《てつ》

（気持《きも》ちに動《うご》かされずに、物事《ものごと》をするどく見《み》る様子《ようす》）

冷《れい》麺《めん》

冷《れい》水《すい》

冷《れい》淡《たん》

冷《れい》夏《か》

多

少

多《た》勢《ぜい》

多《た》彩《さい》

多《た》才《さい》

幾《いく》多《た》

数多《あまた》

多《た》岐《き》（いくつにも分《わ》かれていること）

多《た》感《かん》（感《かん》じやすいこと）

多《た》難《なん》（困難《こんなん》・災難《さいなん》が多《おお》いこと）

少《しょう》年《ねん》

少《しょう》女《じょ》

少《しょう》食《しょく》

少《しょう》量《りょう》

少《しょう》数《すう》

希《き》少《しょう》（少《すく》なく、めずらしいこと）

減《げん》少《しょう》

少《しょう》々《しょう》

あとがき

「日本語《にほんご》のうんちく」を楽《たの》しめたかな？

言葉《ことば》をたくさん知《し》っている人《ひと》は、自分《じぶん》の頭《あたま》の中《なか》でグループをつくって整理《せいり》しているんだよ。新《あたら》しい言葉《ことば》に出《で》あったら、「これはこのグループ」「これはこっち」と、自然《しぜん》に整理《せいり》しているんだね。だから、必要《ひつよう》なときにすぐに取《と》り出《だ》して使《つか》えるんだ。

もし、言葉《ことば》がごちゃごちゃになっていたら、「えーっと……」と探《さが》し出《だ》すだけでも時間《じかん》がかかってしまうし、見《み》つけたとしてもいいタイミングで使《つか》うことができなくなってしまう。すると、「あの人《ひと》、いつも同《おな》じことばかりいうよね」と思《おも》われちゃうね。

これから新《あたら》しい言葉《ことば》に出《で》あったら、この本《ほん》のテーマのどこに入《はい》るか考《かんが》えてみよう！　そうしたら、「ああ、あの言葉《ことば》の仲間《なかま》なんだ」とわかり、わすれなくなるね。

言葉《ことば》を知《し》ること、言葉《ことば》の意味《いみ》を知《し》ること、言葉《ことば》の使《つか》い方《かた》を知《し》ること。この三《みっ》つがそろってはじめて「生《い》きた言《こと》葉《ば》」になるんだよ。きみも、どんどん「生《い》きた言《こと》葉《ば》」をふやしていこう。

この「齋藤孝《さいとうたかし》のこれだけは覚《おぼ》えておきたい日本《にほん》のこと」のシリーズには、すでに発売《はつばい》されている「日本《にほん》の行事《ぎょうじ》」「日本人《にほんじん》」があるよ。三冊《さんさつ》まとめて読《よ》み返《かえ》してみると、またおもしろい発見《はっけん》があるかもね！

齋藤《さいとう》 孝《たかし》

著者　齋藤 孝（さいとう たかし）

1960年静岡県生まれ。東京大学法学部卒業。東京大学大学院教育学研究科博士課程を経て、現在、明治大学文学部教授。専門は教育学、コミュニケーション論。ＮＨＫ Ｅテレ「にほんごであそぼ」総合指導。

主な著書、監修作に『声に出して読みたい日本語』（草思社）『記憶力を鍛える齋藤孝式「呼吸法」』（秀和システム）『こども 日本の歴史』（祥伝社）のほか、ＮＨＫ Ｅテレ「にほんごであそぼ」シリーズ『雨ニモマケズ　名文をおぼえよう』『おっと合点承知之助　ことばをつかってみよう』『でんでらりゅうば　歌って日本をかんじよう』『ややこしや　伝統芸能にふれてみよう』、『齋藤孝の覚えておきたい 日本の行事』『齋藤孝の覚えておきたい 日本人』（以上、金の星社）など多数。

＊言葉の由来、意味などは諸説あります。この本では、子どもが理解しやすいものを著しています。

JASRAC出1901358-901

●編集協力
佐藤 恵

●デザイン・DTP・編集補助
ニシ工芸株式会社（小林友利香・渋沢瑶）

齋藤孝の覚えておきたい 日本語のうんちく

初版発行／2019年３月

著　齋藤　孝
絵　深蔵

発行所　株式会社金の星社
〒111-0056　東京都台東区小島1-4-3
TEL　03-3861-1861 (代表)　FAX　03-3861-1507
振替　00100-0-64678
ホームページ　http://www.kinnohoshi.co.jp

印刷・製本　図書印刷株式会社

80ページ　21cm　NDC814　ISBN978-4-323-05883-2

乱丁落丁本は、ご面倒ですが小社販売部宛にご送付ください。
送料小社負担でお取り替えいたします。